KB123586

제대로 살고 싶다는 말

알렉스 신

응원하는 마음을 담아 (   )에게 드립니다.

01/

나는 나를 잘 몰랐습니다

02/

새로운 눈으로 세상을 바라봅니다

03/

마음성형, 마음을 가꾸니 사람에게서 향기가 납니다

04/

가족, 책임감이라 쓰고 사랑이라고 읽습니다

05/

등산, 마음이 설렌다는 건 곧 살아있다는 겁니다

06 /

제대로 살고 싶다는 말

"대표님. 저 이제 그만 퇴직해야 할 것 같습니다."

"무슨 일이야?"

"더 늦기 전에 책을 써야 할 것 같습니다."

"그래……. 그러면 완전히 퇴사하지 말고, 잠시 쉬면서 써보면 어때? 6개월 정도? 그래도 안 되면, 또 6개월 연장하고. 내가 줄 수 있는 의리이자, 기회야."

"네. 생각해보겠습니다. 감사합니다. 대표님."

10년 가까이 다닌 회사에서 퇴사하는 것이 쉽지만은 않은 일이었습니다. 대표님께 첫 퇴직 의사를 밝힌 이후에 후임자를 뽑는 데만

반년이 넘게 걸렸습니다. 덕분에 여름휴가를 보내고 가을부터 시작하려던 집필 작업은 해를 넘겼지만, 회사와 직원의 관계를 넘어 가족처럼 함께 했기에 온전하게 일을 마무리하고 싶었습니다.

대표님이 주신 기회는 결국 받지 못했습니다. 아마도 돌아갈 곳이 있다고 생각하면, 계속 뒤를 돌아볼 것 같은 나약한 생각이 들어서였을 것입니다. 지금도 때때로 생각이 나는 것을 보면 말입니다. 30대 초반에 입사하여 이제 갓 40대에 들어선 지금. 저는 누군가에게 고용된 마지막 울타리에서 나왔습니다. 그래서 모두가 퇴사라고 할 때, 저는 [퇴직]이라고 표현하곤 합니다. 이 표현은 특별한 일이 없는 한, 어딘가에 고용되지 않을 것이라는 저의 다짐과도 같습니다.

고등학교를 졸업하고 지금까지 쉼 없이 달려왔습니다. 잠시 짧은 대학 생활을 느껴보기도 하고 군대도 다녀왔지만, 그 이외에는 쉬어본 기억이 없습니다. 그렇다고 무언가 이루어 놓은 것도 없습니다. 시간적 나이는 40대가 되었는데, 삶의 나이는 고등학생과 다른 것이 무엇인가 싶습니다. 아직도 끊임없이 방황하고, 삶의 진로를 꿈꾸고 있습니다. 좋고 나쁜 것은 없습니다. 그저 이것이 저의 삶이기 때문입니다. 다만, 이제는 나의 정체성을 인지하고, 지금까지 꿈꾸었던 삶의 방향으로 더 적극적으로 한 걸음을 떼 보고 싶었습니다.

그렇게 1년이 조금 넘는 시간이 지나갔습니다. 그 시간 동안 저는 그동안 꿈만 꾸었던 책을 한 권 출간했고, 등산이라는 새로운 취미를 갖게 되었고, 더 많은 책을 읽었습니다. 그리고 무엇보다 나 자신을 더 이해하는 시간을 갖게 되었습니다.

이 모든 것이 외부적으로 보기에는 [휴식]입니다.

그리고 저는 이것을 [안식년]이라고 부릅니다. 인생의 전반기와 후반기 사이의 소중한 휴식 시간입니다. 누구나 이런 시간을 갖는 것은 아니겠지만, 제가 겪어보니 모두에게 필요한 시간인 듯합니다. 기간은 사람마다 다르겠지만요.

이 시간들은 앞으로 맞이할 제대로 된 나의 삶을 위함입니다.

그렇다고 이전 나의 삶을 부정하거나, 이전 삶이 제대로 되지 않았다는 뜻은 아닙니다. 그저 모든 삶의 순간을 [제대로 살고 싶다는 말]입니다.

이 책은 저의 지나온 안식년을 기록한 내용입니다.

이것이 저와 같이 새로운 도전을 준비하고 있거나, 혹은 자의든, 타의든 안식년을 보내고 있는 분들에게 작은 위로와 응원의 메시지가 되길 소망하며 한 글자씩 적어봅니다.

01

나는
나를 잘 몰랐습니다

번아웃 중입니다

2021년 1월 5일.

1월 4일까지 예정되어 있던 프로젝트를 마감하고, 쉬기 시작한 첫 날입니다.

책을 쓰기 위해 퇴직했지만, 한두 달은 쉬기로 했습니다. 많은 직장인의 로망이기도 합니다. 저 또한 여러 기대감으로 첫날을 맞이하였습니다. 여행도 다니고, 여유롭게 카페에 앉아 책도 읽고, 자유롭고 기쁜 나날들을 상상해왔습니다. 그리고, 그 첫날이 밝았습니다.

하지만 현실은, 2020년부터 시작된 코로나19의 영향으로 많은 제

약이 있었습니다. 해외여행은 꿈도 꾸지 못하게 되었고, 사회적 거리 두기 방침으로 심할 때는 카페에 앉아 있을 수조차 없는 날들이 있었을 정도입니다. 그래서 무작정 차를 몰고 나갔지만 딱히 갈 곳은 없습니다.

문득 얼마 전 TV에서 본 오이도 해물라면을 먹어봐야겠다는 생각이 듭니다. 그렇게 처음으로 오이도라는 곳에 가봅니다. 평일이라 사람이 없습니다. 해물라면은 생각보다 맛있습니다.

사람이 참 단순합니다. 맛있는 것을 먹으니 기분이 좋아집니다. 낯선 곳에 오니 신선한 기분도 듭니다. 내친김에 시화방조제를 지나 대부도까지 들어가 봅니다. 길도 모르는데, 길이 있는 곳으로 무작정 들어가 봅니다. 그러다가 구봉도라는 곳에 도착했습니다. 주차장에 차를 세우고, 해안가를 또 무작정 걷습니다. 작은 동산과 바다가 어우러져 있습니다. 그렇게 차가운 바닷바람을 맞으며 걷고, 또 걸어봅니다. 이것이 10여 년 만에 퇴직하고 맞이한 첫날 저의 모습입니다.

쉬는 법을 잊어버렸습니다. 어떻게 쉬는 것이 잘 쉬는 것인지 모르겠습니다. 물론, 직장 생활을 하는 동안에도 휴가가 있었고, 휴일이 있었습니다. 그동안 여행도 다녔고, 잘 쉬었습니다. 그런데도 퇴직

첫날, 저의 기분은 어딘가 홀가분하지 못합니다. 온전히 회사를 털어버리지도 못했습니다. 나의 선택으로 퇴직하였음에도 권고사직을 당한 느낌입니다. 나란 존재는 사랑받지는 못해도 [필요한] 존재라고 생각했는데, 이제는 그 필요성마저 거부당한 느낌이 들었습니다. 그 누구도 그렇게 말하지 않았는데 말입니다.

저 혼자만의 착각 속에 빠져들었습니다.

모든 것이 나의 선택에 의해 여기까지 왔음에도, 마치 [강요된 선택]과 같은 기분을 스스로 창조해 내었습니다. 그렇게 스스로를 태우는 번아웃이 시작되었습니다. 아무도 나에게 그렇게 말하지 않았습니다. 그 누구도 나에게 강요하지 않았습니다. 사람들은 오히려 나에게 아무런 관심이 없습니다. 이것은 누구나 마찬가지입니다. 타인에게 관심을 갖는 사람은 오히려 특별한 사람들입니다. 대부분은 자기 자신에게 관심을 둡니다.

이 보편적인 진실을 [나 혼자만의 것]으로 받아들이니 아프고 힘들었던 것입니다.

생존을 위한 선택

이상한 일입니다. 보통 번아웃은 일할 때 생기는 현상인데 말입니다. 저의 번아웃은 퇴직 이후에 시작되었습니다. 어쩌면, 이미 타들어 가고 있었던 저의 생명 에너지들이 퇴직이라는 시기와 묘하게 맞물려서 남은 것들이 모두 타버린 것인지도 모릅니다. 그렇다면, 정말 다행입니다. 아무것도 모른 채 나 자신을 계속 태워 갔다면, 그대로 쓰러져버렸을지도 모를 테니까요. 운이 좋아 보이지만, 사실 예민하고 민감한 성향 덕분이기도 합니다. 이것은 제게 양날의 검과 같습니다. 너무 예민하다 보니 누가 다그치는 것도 아닌데 스스로 압박을 받습니다. 그러니 남들보다 더 빠르게 생존을 위한 에너지들을 소모했을 것입니다. 소모한 에너지들을 회복하고 근육을 갖추어야 하는데, 그런 시간을 갖지 못했던 것입니다. 그러다 보니 직감했는지도 모릅니다. 이번이 생존을 위한 마지막 기회라고 말이지요.

책을 쓴다는 것은 꽤 오래된 꿈이었습니다. 이제 막 퇴직한 회사에 처음 입사할 때부터 공공연히 책을 쓸 것이라고 선포하고 다녔을 정도이니 말입니다. 그것이 1년이 지나고, 2년이 지나, 10년에 가까운 시간이 흘렀습니다.

누구에게나 어린 시절 꿈이 있었던 것처럼, 책을 쓰겠다는 나의 선포도 젊은 시절 잠시 품었던 꿈처럼 흐릿해져 가고 있었습니다. 더불어 나이는 이전보다 많아졌고, 그에 따른 연륜과 경험, 여유 대신 점점 피폐해져만 가는 자신을 발견할 뿐입니다. 책을 쓰겠다는 것은 선한 영향력을 서로 나누려는 의도인데, 저는 나 자신조차 건사하지 못하고 있는 상태였습니다. 어쩌면 영원히 꿈으로만 간직하다가 끝나버릴지 모른다는 생각이 들었습니다. 그렇게 끝나버리고, 타협해버린 꿈들이 벌써 몇 개나 되었는지도 모릅니다. 시기도 좋지 않습니다. 40년을 넘게 살아오면서 이런 위기는 처음 겪어보는 것입니다. 전 세계적으로 팬데믹이라는 대혼란이 왔습니다. 코로나19는 이전의 그 어떤 위협보다 실제적이고 강력하게 모든 이들의 삶을 위협했습니다. 이런 때는 요즘 말로 존버가 답입니다.

그럼에도 저는 선택했습니다.

　번아웃으로 인해 아무런 의욕도 없고, 책을 쓰겠다는 꿈도 희미해지고, 현실과 타협한 이성들이 아무리 말리더라도 처음 겪어보는 팬데믹 속에서 본능적으로 생존을 선택했습니다.

　그리고 퇴직 직후에 번아웃은 가속되어 남아있던 모든 에너지가 소멸하는 시간을 맞이했습니다. 아마도 퇴직이라는 선택을 한 것이 마지막 남아있던 힘이었던 것 같습니다. 남들이 보기에는 말도 안 되는 선택일지 모릅니다. 정말 이해가 가지 않을 수도 있습니다. 이 모든 글을 읽어도, 어떤 이는 한낱 변명으로 치부해버릴지도 모릅니다. 괜찮습니다. 이해하지 않으려고 작심한 사람들에게는 어떤 설득의 방법과 필요성도 가치가 없다는 것쯤은 깨달았으니까요. 중요한 것은 나 자신의 이해였습니다. 나 자신만은 나를 이해해줘야 하니까요. 나를 이해해야 한다는 것을 인식하는 데만 1년이 걸렸습니다. 이제야 진정 1년 전 내 선택의 진정한 의미를 깨달았고, 진짜 나 자신을 돌보는 시간을 보내고 있습니다.

　살기 위해, 이 모든 선택을 했습니다.

살기 위해 읽습니다

우선 한두 달은 무조건 쉬어야겠다는 생각이 들었습니다.

그럼에도 막상 쉬려니 할 수 있는 것들이 없습니다. 겨울이라 날은 춥고, 코로나19 거리두기는 매번 정점을 갱신하고 있는 상황이라, 카페에 앉아 여유롭게 차를 마시는 것도 힘든 시기였습니다. 사람을 만나는 것은 꿈도 꾸기 힘든 시간이었습니다. 저뿐만이 아닌 모두가 외롭고, 힘든 겨울을 보내고 있는 듯했습니다.

덕분에 계속 책만 읽어댔습니다. 제가 할 수 있는 일 중에 가장 나 자신을 돌볼 수 있는 일이라 생각했습니다. 버스, 지하철 등 대중교통을 타고 다니면서 책을 읽고, 집에서 조금은 먼 곳을 다니면서 그동안 잊고 지냈던 세상 구경을 하고 다녔습니다. 마스크를 쓰고 다니는 것은 아직도 조금은 불편하지만, 저만 감당하는 불편함은 아니니까요.

그렇게 읽은 책들은 조금씩 저를 위로해주고, 힘을 낼 수 있는 에너지를 생성할 수 있도록 도와주었습니다. 저도 언제부터인가 책보다는 스마트폰과 아이패드에 더 주의가 끌리는 것을 실감합니다. 그곳에는 다양한 정보와 즐거움이 가득하니까요. 실제로 유익한 것이 참 많습니다. 그럼에도 실제 나 자신의 회복과 평안함은 책 속에서 찾은 것이 더 많다는 것을 인정할 수밖에 없습니다. 이것은 마치 바깥에서의 즐거움과 가정에서의 행복을 비교하는 것과 같습니다.

뉴스, SNS 미디어, 사람들의 말, 길거리의 분위기, 그리고 나의 현실. 모든 것이 침울했고, 외로웠고, 추웠고, 힘들었지만, 책 속에서는 아직도 희망과 따뜻함, 현실 위의 세상, 사랑 등을 발견할 수 있었습니다. 나의 시선은 양쪽을 모두 보고 있지만, 나 자신의 주의를 어디에 더 두어야 할지는 내가 결정해야 할 수 있어야 한다는 생각이 들었습니다.

이대로 낙담하여 바닥난 에너지를 유지하면서 서서히 죽어갈 것인가, 혹은 아직 경험해보지는 못했지만, 끝까지 책 속의 희망을 붙잡아 볼 것인가.

저는 살고 싶었습니다.

제대로 살고 싶었습니다. 아직은 무엇이 제대로 사는 것인지 모르지만, 내가 제대로 살기 시작하면 알게 될 것이라는 희망을 붙들기로 했습니다.

그래서 살기 위해 계속 읽었습니다.

두려움의 바다 - 빠지거나, 걷거나

살기 위해 책을 읽었다고 거창한 이유를 대보지만, 그렇다고 책을 읽는 것이 언제나 녹록한 일은 아닙니다. 특히나 제가 즐겨 읽는 책들은 사람의 마음과 자아, 그리고 그러한 것들을 초월하는 상위 자아들을 일깨우는 시선과 깨달음에 관한 내용이 많습니다. 이러한 것들은 때론 낯설고, 어지럽고, 어렵게 느껴집니다. 그러다 보니 반복해서 읽어야 하고 나의 의식이 깨우친 만큼만 보여, 딱 그만큼 이해가 됩니다. 그러니 때론 지루하기도 합니다. 이해가 안 되고, 지루함으로 이어지는 것은 견딜만합니다. 그럴 때는 잠시 차창 밖을 구경하면 됩니다. 이는 집에서 편안히 책을 읽을 수 있지만, 대중교통으로 이동하면서 제가 책을 읽는 이유 중의 하나이기도 합니다. 이 정도면 불편함을 감수할 만합니다.

다만, 이런 시간이 길어지면 제 생각과 마음은 또 길을 잃고 엉뚱한 곳으로 달려갑니다. 그것들은 현실이라는 증거들을 제게 들이밉니다. 제 나이, 재산 수준, 현재의 환경, 외모, 가정환경, 그리고 이런 원인으로 예상할 수 있는 가깝고 먼 미래의 시간들을 비추어줍니다. 그럴 때마다 제게 따라붙는 감정의 꼬리표는 [두려움]입니다. 그것이 크든 작든 말이지요.

두려움. 그것은 아무것도 아니다.
두려움은 진실처럼 보이는 거짓 증거들이다.

우리에게 영감을 주는 광고 문구. 긍정 심리학을 얘기하는 책들 속에서는 두려움을 이렇게 간단히 정의하곤 합니다. 하지만, 실제 두려움을 느끼는 순간에 위 문구를 떠올리거나, 혹은 떠올리더라도 나 자신에게 적용하기란 그리 쉬운 문제는 아니었습니다. 심지어 나 자신이 느끼고 있는 감정의 꼬리표에 [두려움]이라는 이름을 붙이기까지도 꽤나 오랜 시간이 걸렸습니다. 두려움은 나의 생각과 마음, 그리고 육체를 굳게 만드는 데에 큰 영향을 줍니다. 높은 곳에서 아래를 내려다보면, 한 걸음도 움직이지 못하는 것처럼 말이지요.

요즘엔 높은 산이나 계곡에 있는 전망대의 바닥을 투명한 유리다리로 만들기도 합니다. 절대적이라고 단정하기는 힘들겠지만, 대부분 안전합니다. 적어도 우리가 일상적으로 건너는 철근이나 나무로 만든 다리들만큼은 안전할 것입니다. 두려움은 그런 유리다리와 같습니다. 주변에서 아무리 안전하다고 해도, 또 나를 제외한 모든 사람은 아무렇지 않게 건너간다고 해도, 내 안의 두려움을 극복하지 못한다면 나는 절대로 그 유리다리를 건널 수 없습니다. 하지만, 더 큰 문제는 이 두려움의 크기가 점점 더 커진다는 것입니다. 그러다 보면, 안전하게 건널 수 있는 유리다리의 난간을 넘어 뛰어내리려고 합니다. 어떻게든 두려움을 해소하고 싶으니 말입니다.

이것을 인식하니 아직도 두렵지만, 저는 저만의 유리다리 위를 걸어가야겠다는 생각이 듭니다. 두려움에 완전히 빠지지도, 이겨내지도 못했지만, 그것을 인정하고 걸어가는 일종의 줄타기를 한다고도 볼 수 있습니다.

억울합니까?

콩 심은 데 콩 나고, 팥 심은 데 팥 난다.

저도 꽤나 속담을 좋아하는 옛날 사람인가 봅니다. 책 속에서도 이런저런 속담들이 나오면 더 흥미로워하는 편입니다. 오랫동안 전해 오는 속담들은 대부분 맞는 말 같습니다. 그럼에도 위의 속담에는 한동안 동의하기 어려웠습니다. 누가 봐도 맞는 말이고, 당연한 소리 같은데 말이지요.

나는 콩을 심었다고 생각하는데, 팥이 올라옵니다.
그래서 팥을 심었다고 생각했는데, 아무것도 올라오지 않습니다.
무언가를 심었다고 생각했는데, 다른 밭에서 콩과 팥이 올라오니다. 그럴 때 나에게 올라오는 것은 [억울함]입니다.

재주는 곰이 부리고, 돈은 되놈이 가져간다.

아마 저를 포함한 많은 사람이 [곰]에 자신을 대입하지 않을까 조심스럽게 추측해봅니다. 빼앗은 사람은 기억하지 못해도 뺏긴 사람은 기억합니다. 그러니, 나 자신도 뺏은 것은 기억하지 못할 수 있습니다. 그저 빼앗긴 것들만 기억하면서 억울함의 크기를 키워가지는 않았을까요? 하지만, 이런 논리로는 위로가 되지 않습니다. 자칫 그릇된 죄책감이라는 또 다른 감정의 쓰레기들만 더 채워놓기에 십상입니다.

가장 큰 문제는 내가 심었다고 [생각한 것]입니다.
콩을 심었다고 [생각했는데] 실제로 콩을 심었던 것일까요? 때론 다른 곰의 재주를 또 다른 되놈이 챙기는 것을 보며 울분이 터질 때가 있습니다. 이런 일들은 참 흔한 것 같습니다. 그러다 보니 열 받는 스토리들이 한없이 터져 나옵니다.

그래서 이 또한 완전히 이겨내진 못하더라도 인정하고 줄타기를 해봅니다. 억울할 때도 있겠지만, 다시 재주를 준비하고, 생각으로만 그치지 않고 실제 콩을 다시 심어봅니다. 어찌 되었건 지금의 저는 정확하게 제 선택에 의해 안식년을 시작하게 되었으니 말입니다. 이전에 실제로 심어둔 것이 있다면, 조금 늦어지더라도 반드시 거두게 되리란 희망의 소스를 추가해 봅니다.

아무것도 하고 싶지 않습니다

만화책은 좋아하는데, 웹툰은 자주 보지 않습니다. 그럼에도 [마음의 소리]라는 웹툰은 종종 챙겨보곤 했습니다. 아마도 우연한 기회에 단행본으로 엮은 만화책을 먼저 접하게 되어서 그런 듯합니다.

그 작품에서 이런 대사를 본 적이 있습니다.

[아무것도 하고 있지 않지만, 격하게 아무것도 안 하고 싶다.]

기억이 흐릿하지만, 아마 비슷할 것입니다. 이 웹툰의 작가님이 이 대사를 창조해 낸 것인지, 혹은 어떤 트렌드를 반영한 것인지는 모르겠지만, 꽤 많은 사람이 공감했나 봅니다. 요즘도 종종 인터넷에서 발견하는 뉘앙스입니다.

그리고 이 문구는 안식년을 처음 맞이한 저의 심정이기도 했습니다. 대상도 불분명한 두려움과 억울함. 그리고 그로 인해 파생되는 크고 작은 감정의 찌꺼기들. 인정하고 바라보기엔 너무나 치사해 보이고 졸렬한 기억의 파편들. 그러니 아무것도 하고 싶지 않은 것이 어찌 보면 당연한 결과일지도 모릅니다.

하지만, 막상 아무것도 안 해보면 금방 깨닫습니다. 우선, 엄청나게 심심합니다. 시간이 갑자기 느리게 흘러가는 것 같습니다. 진짜 아무것도 하지 않을 때 말이지요. 스마트폰으로 이것저것 뒤적거리지도 않고, TV를 보는 것도 아니고, 음식을 먹거나 마시는 것도 아니고, 책을 읽는 것도 아니고, 운전을 하는 것도 아니고, 정말 아무것도 안 할 때 말입니다. 가만히 앉아 있거나 누워 있을 때. 잠을 자는 것도 아니고, 정신은 말똥말똥 깨어 있는데 아무것도 하지 않는 것 또한 무척이나 힘든 일입니다.

아마도 세월과 세상이라는 물살을 거슬러 올라가려는 모든 행동을 멈추고 싶었나 봅니다.

사람들이 말하는 사회적 인정과 안정을 꾀하려는 활동들을 멈추

고 싶었나 봅니다. 그렇게 오랜 시간 동안 살아봤는데도 뭐가 없었
거든요.

그래서 잠시라도 아무것도 하지 않아보려고 합니다.

이것저것 해 봅니다

안녕히 계세요. 여러분~!
도비는 자유에요!!!

퇴사짤이라는 것이 있습니다. 회사를 관두는 사람들이 많이 사용하는 두 가지 버전이 있습니다. 위 두 문구로 대표되는 일종의 [밈]이라고 할 수 있습니다.

아무튼, 저도 그렇게 사람들이 말하는 [퇴사자]가 되었습니다.
저는 퇴직이라고 하지만, 세상은 저의 의견 따위는 그리 중요하게 생각하지 않습니다. 이제 저에게도 그런 것은 중요한 것이 아닙니다. 누군가 나의 의견을 존중하고 지지하는 것은 분명 기분 좋고 행복한 일이지만, 지금의 상황에서 그 모든 것으로부터 자유로워지고 자 더 격하게 아무것도 안 하는 중이니까요.

이런 상태에서는 본능적, 직감적으로 행동하게 됩니다.

그래서 먼저 통장을 하나 개설하기로 했습니다. 이유는 단순합니다. 제가 주로 책을 구매하는 인터넷 쇼핑몰에서 특정 은행 카드 할인이 가능하기 때문입니다. 한 달에 들어가는 책값도 만만치 않으니 카드를 만들어 두는 것이 유리합니다. 급여 통장과 공과금 등을 처리하는 통장 이외에 통장개설은 오랜만입니다. 예전보다 통장 발급이 까다로워졌다는 것은 이미 알고 있었으나, 막상 통장을 개설하니 더 실감이 납니다.

엊그제 퇴직했는데 이제 저는 [무직자]입니다.

정기적인 수입이 없으니 통장 이체 한도와 출금 한도가 하루에 30만 원으로 제한된 통장개설만이 가능하다고 합니다. 그것으로도 원래 통장개설의 목적인 도서 구매는 충분하다 보니 그대로 개설했습니다.

그런데 뭔가 마음 한켠이 뚫려버린 것 같은 기분은 무엇 때문일까요? 생활의 작은 사건들 하나하나가 이렇게 마음을 시리게 할 때가 있습니다.

자유라는 것에 책임져야 하는 마음의 종류와 크기는 꽤나 다양하고, 넓은 것 같습니다.

루틴 중독자

아무것도 하지 않고, 이것저것 해보기도 하는 아이러니한 상황 속에 있지만, 더 큰 아이러니는 나 자신이 루틴 중독자라는 것입니다.

퇴직한 이후부터 일 년에 하루, 이틀 정도를 제외하고는 모두 정해진 시간에 일어났습니다.

보통은 7시에 일어납니다. 그리고 기상 직후 20분간은 성경을 읽습니다. 이후에 샤워를 하고 예전보다는 편하지만, 늘어지지는 않는 복장을 갖춰 입습니다. 그리고 오전 일과와 오후 일과를 구분합니다. 요즘은 사이버대학에 입학하여 오전에는 거의 수업을 듣습니다. 오후에는 이렇게 글을 쓰거나, 독서를 위한 외출을 합니다. 외출 장소도 다양하지만, 주로 전통시장이나, 오일장, 시내 대형서점,

혹은 광역버스로 최대한 멀리 갈 수 있는 곳을 다닙니다. 일주일에 하루는 오전, 오후 일과를 모두 비우고 등산하러 산에 갑니다. 그렇게 오후 5시쯤이면 일과가 끝나갑니다. 6시쯤에 저녁을 먹고 자유시간을 누립니다. 저녁 9시쯤부터는 또 책을 읽거나, 자유시간을 보내다가 11시쯤에 잠이 듭니다.

이것이 월요일부터 금요일까지 저의 하루 루틴입니다.

이 루틴에서 벗어난 적은 일 년에 손에 꼽을 정도입니다. 좋은 루틴은 나 자신을 발전적으로 인도해줍니다. 그럼에도 중독이라고 표현하는 것은, 이 루틴으로 인해 새로운 도전이 막힐 때가 있기 때문입니다. 평소에는 루틴을 유지하다가도 특별한 일정이 있거나 혹은 무언가에 도전할 때는 이것을 깨줄 용기도 필요한데, 다시 루틴으로 돌아오기 힘들 것 같다는 생각이 들어 겁이 날 때가 있습니다.

지금의 나 자신에게는 다른 무엇보다 육체와 정신의 회복이 필요하다는 것을 느끼고 있습니다. 그렇기 때문에 많은 것을 내려놓고 에너지를 충전하는 시간을 갖고 있습니다.

이 루틴은 나를 발전하게 하지만, 쉬지 않게도 합니다.

그래서 최근에는 이 중독에서 벗어나기 위한 시도들을 한 번씩 하곤 합니다. A부터 Z까지 모두 완벽하게 구성되어야만 루틴은 아닙니다. 여유로워지기로 했습니다.

 좋은 습관은 유지하되, 한두 번씩 루틴을 건너뛰더라도 자책하지 않기로 합니다. 비록 루틴 중독으로 인해, 아직도 제가 확실히 쉬는 것이 맞는지 의문이 들 때가 많지만 말입니다.

이대로도 괜찮다고 합니다

생각해보면 나의 모든 삶은 조건부였습니다.

어린 시절에는 시험에서 몇 점 이상을 맞아야 했고, 몇 등 안에 들어야 원하는 것을 가질 수 있었습니다. 또, 종종 무엇을 잘해야 용돈을 받을 수 있는 상황에 놓이곤 했습니다. 아마도 저와 같은 세대에서 자라난 분들은 비슷하리라 생각해봅니다. 그러다 보니 저의 사고 체계는 받는 것도, 주는 것도 조건부적인 구조로 짜이게 되었습니다.

보통의 자기개발서에서 좋지 않은 예로 보여주는 것들입니다.

"네가 나를 사랑한다면, 나도 너를 사랑할게."

"네가 이렇게 해줬으니, 나는 저렇게 해줄게."

"내가 얼마나 너를 신경 썼는데, 나한테 이럴 수 있어?"

대략 이런 형태들입니다.

그러다 보니 나의 시선은 타인에게 자주 집중되고, 또 타인의 시선을 많이 신경 쓰게 됩니다. 무언가 받으면 갚아야 한다는 생각이 있다 보니, 받는 것도 부담이 됩니다. 순수하게 누군가에게 주고 싶은 마음으로 무엇인가를 주다가도 어느 날 돌려받을 기대를 하기도 합니다. 그나마 오랜 사회생활의 경력으로 깨달은 것은 [준 것은 잊어버린다] 정도입니다.

오히려 받는 것은 주는 것만큼이나 쉽지 않습니다. 1년이 넘는 기간 동안 일정한 수익이 없다 보니 주위로부터 받는 것이 참 많습니다. 사람들에게 [용돈]이라는 것을 받아보게 되었습니다. 학창 시절에도 뭔가를 인정받아야만 받을 수 있었던 [용돈]이라는 것을, 마흔 살이 넘어서 아무런 조건 없이 받아보게 됩니다.

이상한 감정입니다.

고맙기도 하면서 조금 부담되기도 하고, 또 어떤 때는 은근히 기대되기도 합니다. 아직은 직장 생활하면서 모아두었던 돈과 퇴직금 일부가 남아있어서 생활하기에 힘든 상황은 아닙니다. 아마도 저의 성격상, 이렇게 완벽하게 준비하지 않은 상태에서는 퇴직 결정을 하지도 못했을 것입니다. 그럼에도 일정한 수익이 없다는 것은 꽤나 심리적 압박의 요인이 됩니다. 이런 상태에서 받는 [용돈]들은 이상하기는 하지만 너무나 감사한 인사들입니다. 내가 무엇을 해서 받는 것이 아닙니다. 그냥 받아봅니다. 이들이 건네준 작은 성의는 제게 큰 위로가 되어줍니다.

이대로도 괜찮다는 생각을 심어주고 싶습니다.

그렇게 저의 조건부적인 뇌 구조를 바꿔주고 있습니다. 그리고, 저 역시 누군가에게 그 마음을 전해주고 싶다는 생각을 심어줍니다. 분명 누군가 먼저 주기 시작했으니 가능한 일일 겁니다. 앞으로는 그 누군가가 제가 되기를 소망해 봅니다.

의식적인 창조

고등학교를 졸업한 이후로 이렇게 오랫동안 쉬어본 적이 없습니다. 당시에는 당장 돈을 벌어야 하는 상황에 직면해 있었기 때문에, 대학 진학은 꿈도 꾸지 못했습니다. 이후에 상황이 조금 안정되어 방송통신대학교에 입학하여 학업을 이어가 보고 싶었지만, 그 이후에 더 큰 인생의 파도를 경험해 그도 쉽지 않았습니다. 그래서 군대에 다녀오고 이런저런 일에 도전하며 시간을 보냈습니다.

본격적으로 책을 쓰고 싶다는 생각을 가졌던 것은 서른 살 무렵이었던 것 같습니다. 이전에도 책을 좋아하다 보니 사업을 하면서 관련된 책을 내보고 싶은 꿈이 있기는 했지만, 서른 살 무렵에야 작가로서 큰 열정을 품을 수 있었습니다. 그러나 그 또한 좌절되었습니다. 완벽하게 좌절되었습니다. 함께 꿈을 나누고, 서로 응원하던 친구가 의문의 사고를 당해 떠나갔습니다. 그것도 제가 책을 쓰기 위해 함께 떠난 해외 근무지에서 말입니다. 이것은 여전히 저에게 너무나 큰 아픔이고, 평생 그리워할 친구의 빈자리입니다. 한동안 은 정상적인 삶이 힘들 정도로 힘들었지만, 지금은 많이 극복한 상 태입니다.

그리고 다시 회사에 입사하여 오늘날까지 이르렀습니다.
이것이 저의 자서전은 아니지만 나 자신을 알아가는 흐름인 듯합 니다. 서른 살에 좌초된 작은 꿈은 마흔두 살에 결실을 보았습니다.

[마음성형]
이것이 저의 첫 책 제목입니다.

지금까지 제가 알고 있는 모든 내용과 말하고 싶었던 내용을 담았 습니다. 비록 많은 분에게 제 책이 알려지진 않았지만, 그럼에도 저 는 제 책이 참 좋습니다. 지금도 한 번씩 책을 열어 읽어보곤 합니 다. 처음 완성된 책이라 애착이 더 가는 부분도 있겠지만, 다른 이 유도 있습니다. 지금까지는 나 자신의 성공을 위해 무척이나 노력 하면서 살아왔음에도, 결과적으로는 이렇다 할만한 성공의 궤도에 올랐다고 생각하지 않았습니다. 아마도 대부분이 저와 같지 않을까도 생각해 봅니다. 분명 굉장히 열심히, 성실히 살고 있는데 생각만큼의 결과나 보상이 뒤따르지 않는 경우가 참 많습니다.

그래서 저는 다른 방법을 선택해 본 것입니다.

그리고 그것을 [의식적 창조]라고 이름 붙여 봅니다. 나의 인생을 통해 실험해보고 있습니다. 지금까지의 방법으로 되지 않았다면 방법을 바꾸어 보는 것입니다. 물론, 지금까지의 습관화된 마음들은 두려움과 불안감을 지속적으로 상기시켜 줍니다.

하지만, 이대로면 어떻습니까?

두려움과 불안감을 인정하며 줄타기하는 중입니다. 아무것도 안 해도 좋고, 이것저것 해봐도 좋습니다. 좋은 루틴은 강화시키고 때론 그것을 깨보기도 합니다.

대신, 그 어떤 것보다도 우선적으로 진짜 나 자신을 이해하고 보살펴주는 중입니다. 그리고 진짜 나 자신이 가는 대로, 가고 싶은 대로 [의식적 창조]를 해보는 중입니다.

02

새로운 눈으로
세상을 바라봅니다

두 번째 스무 살

 스무 살이 되면 으레 경험하게 되는 것들이 있습니다.

 성인이 되었기 때문에 학생 때보다는 행동이 더 자유롭지만, 그만큼의 책임도 가지게 됩니다.

 저의 스무 살은 그리 밝지만은 않았습니다.

 그렇다고 어둡지도 않았습니다. 다만, 모든 것이 부족하다고 느꼈습니다. 매일 배가 고팠고, 갖고 싶은 것들도 많았고, 하고 싶은 것도 많았습니다. 여전히 많은 스무 살이 그리리라 생각해봅니다.

 다만, 스무 살에만 가질 수 있는 것들이 있습니다. 스무 살에는 처음 대학 혹은 사회에 나와서 느낄 수 있는 풋풋함과 설렘이 있습니다. 무엇을 해도 어설프고 익숙지 않아 당황스러운 상황들이 있지만 스무 살엔 조금 서툴러도 괜찮다고 생각합니다. 모든 게 다 처음이니까요.

마흔 살이 넘은 저는 직장이나 사회에서는 그럴 일이 별로 없습니다. 대부분 경험해본 일들이고, 새로운 일에 대해서는 도전하지 않는 성향이 강해지다 보니 그저 나 자신의 세계에서만 베테랑으로 굳어져 갑니다. 그러니 어설프고, 익숙지 않을 일들이 없습니다. 당황스러울 일도 적습니다. 처음 하는 일들이 거의 없습니다. 도전하지 않으려 합니다.

그러면서도 스무 살의 풋풋함과 설렘은 느끼고 싶어 합니다. 마흔이 넘은 나 자신과 제 또래들을 공격하고 싶은 생각은 없습니다. 그저, 스무 살에 새롭고 넓은 세상을 처음 접해본 것과 같은 경험과 느낌을 우리도 다시 느낄 수 있다는 사실을 나누고 싶을 뿐입니다. 제가 마흔이 넘다 보니 기준을 이렇게 잡았지만, 사실 나이 자체도 큰 기준점은 아닙니다. 다만, 많은 사람이 이십 대 초반에 새로운 세상을 경험하고, 그때 자신만의 기준으로 규정한 시야를 인생의 끝까지 갖고 살아가지 않나 싶습니다.

그러다 보니 이십 대 초반에 운 좋게 넓은 세상을 본 사람은 끝까지 넓은 시야를 유지하고, 운이 나쁘게 그때 좁은 세상을 본 사람은 끝까지 좁은 시야를 유지하기도 합니다. 물론, 삶에서 특정한 사건이나 경험 등을 통해 시야가 넓어지는 것은 언제든 가능한 일이지만, 그럼에도 처음 스무 살의 시야는 참 중요한 것 같습니다.

제가 스무 살에 처음 접한 시야는 [벼룩시장]이라는 무가지 신문이었습니다. 잘 아시지요? 동네마다 여러 부수가 꽂혀 있는 생활 정보 신문입니다. 저는 처음에 그것을 통해 세상을 접하고 일자리를 구했습니다. 그래서 요즘도 가끔씩 보곤 합니다.

다행스럽게도 30대에 멘토라고 할 수 있는 분을 만나게 되었습니다. 이 책의 초반에 나온 직전 회사 대표님입니다. 그분은 항상 저에게 "너 자신을 귀하게 여겨야 한다."라고 강조해주셨습니다. 그분의 이야기는 제 시야의 크기에 따라 다르게 다가왔습니다. 지금도 끊임없이 확장되고 있는 제 시야만큼이나 그분의 이야기가 다르게 다가오곤 합니다.

40대 초반인 지금, 퇴직 후 읽은 [수많은 책]과 지금도 진행 중인 [안식년의 시간], 또 뒤에서 말씀드릴 기회가 있겠지만 [산에 오르는 것]은 제게 또 다른 세상을 보는 눈이 되어주었습니다. 제 인생에서 두 번째 스무 살을 열어주었다고 할 만큼 시야를 넓혀준 것이지요.

시야가 넓어지면서 못 보게 되던 것을 보게 되었고 그에 따라 억눌렸던 나 자신의 마음도 들여다보게 되었습니다. 그것들을 해소해주면서 무덤덤했던 감각들이 되살아나는 것을 느낍니다. 같은 것을 봐도 학생들은 깔깔대면서 웃지만, 어른들은 무덤덤하게 웃는 장면을 생각해보시면 공감이 될지도 모릅니다. 온몸이 흔들릴 정도로 웃을 수 있는 감각이 되살아났습니다.

풋풋함, 설렘, 기대감, 희망, 소망, 신뢰….

어설프고, 또 한 번 당황스러울지는 몰라도 살아 있다는 감각들이 올라옵니다. 새로운 도전이 두렵고, 귀찮을지는 몰라도 한 번씩 해보고 싶은 마음이 듭니다.

새로운 시야에서 저는 두 번째 스무 살을 맞아가고 있습니다.

안다고 생각했던 것들

 마흔 살 정도가 되면, 온갖 종류의 선입견들이 원하든, 원하지 않든 생겨나는 듯합니다. 뭐, 이 문장 자체도 하나의 선입견일 수 있음을 미리 양해드립니다.

 아무튼, 저에게도 많은 선입견이 있었습니다.
 물론, 그것은 지금도 진행 중이긴 합니다. 다만 이제는 스스로 선입견을 가질 수 있다는 것을 먼저 인정합니다. 그리고 몇 번은 그 검증 절차를 겪어보기도 합니다. 선입견인지, 사실인지 말이지요. 선입견까지는 아니더라도 우리가 일상적으로 [안다]고 생각하는 것들이 있습니다. 저 자신을 포함해서 사람에 대해 [안다]라고 생각하는 것들을 모아 놓으면, 책 한 권이 더 나올지도 모릅니다. 특정한 장소나 맛집, 업무를 처리하는 방식, 특정 공식, 노하우 등도 해당됩니다.

저는 최근 그중에서도 특정한 장소에 대해 안다는 것을 더 많이 느끼는 중입니다. 특히 등산에 관심이 생기면서 더욱 그렇습니다. 등산에 대해서는 나눌 이야기들이 많지만, 지금은 짧게 제가 갖고 있었던 선입견이 어떻게 제 시야를 제한했는지 말씀 드리겠습니다.

저는 지금 경기도에 살고 있지만, 서울에서 태어나 20대 중반까지 서울에서 살았습니다. 처음 시야의 확보를 서울에서 시작한 셈입니다. 그래서인지 나름 서울에 대해서 잘 알고 있다고 생각했습니다. 강남, 송파, 강동 쪽은 저의 학창 시절 추억이 가득한 곳이고 종로, 대학로, 동대문 쪽도 제가 좋아하는 곳입니다. 동작구나 은평구, 강서구 등 거리상으로 먼 지역을 제외하고는 곳곳에 추억이 묻어 있습니다. 그런데 그 또한 저의 좁은 시야에 의한 착각이라는 것을 최근 실감했습니다.

특히나 이 모든 것은 [북한산]으로 대표할 수 있습니다.

저는 이전에는 [등산]이라는 활동 자체를 싫어했습니다. 산과 바다 중에 선택하라면, 무조건 바다를 선택했으니까요. 힘들게 산에 오르는 것도 싫었고, 등산하러 다니는 사람들에 대한 이미지도 좋은 편은 아니었습니다. (오해해서 죄송합니다.)

아주 가끔 산에 오르는 것은 다이어트를 해야겠다는 생각 때문이었습니다. 그렇게 반강제로, 지난 10년간 3번 정도 산에 올랐던 것 같습니다. 그런데, 지금은 적어도 일주일에 1회는 산에 오릅니다. 특히나 북한산은 정말 최고입니다. 철저히 개인적인 의견입니다만, 서울에 살면서 북한산에 한 번도 오르지 않은 사람은 불쌍하다는 생각이 들 정도입니다. 물론, 지금까지 그 불쌍한 사람이 바로 저였고요.

왜 저는 알고 있다고 생각했을까요?
한 번의 단편적인 경험이 모든 것을 알게 해주지는 않습니다. 사람도 한두 번 만나서는 모르고, 책도 한번 읽어서는 완벽히 이해되지 않기도 합니다. 음식도 처음엔 낯설지만, 점점 익숙해지는 맛이 있습니다.

더 중요한 것은 새로움에 대한 도전입니다.
우린 한두 번 도전해서 실패한 것에 대한 상처를 너무 크게 입습니다. 그리곤 그 실패에 대해 이미 [실패할 것을 안다]라는 새로운 선입견을 갖곤 합니다.

도전해보지 않고는 모르는 법입니다.

그렇기 때문에 시장 상황을 전혀 모르는 루키들이 오히려 크게 성공하는지도 모릅니다.

두 번째 스무 살의 시야에서 지금까지 알고 있다고 생각한 것들을 다시 되짚어 봅니다. 사람도, 환경도, 성공의 의미도, 그리고 나 자신도 말입니다.

어찌 되었건, 어설프지만 설레는 것 자체는 좋지 않습니까?

동묘의 추억

서울 동대문구와 종로구의 어디쯤인가에 동묘가 있습니다.

신기하게도 이곳은 삼국지의 관우 장군을 기리는 신당 비슷한 유적지가 있는 곳입니다. 하지만, 그보다는 구제 옷이나 벼룩시장들이 몰려 있는 시장으로 더 유명합니다. 저도 회사에 다니면서 주말에 한 번씩 구경하러 갔었던 곳입니다.

동묘에는 이상한 것들이 참 많습니다.

그래도 매장에 깔끔하게 정리된 구제 옷은 꽤 괜찮은 것들이 많습니다. 신경 써서 살펴보면 뜻밖의 아이템을 건져낼 수 있습니다. 그리고 시장 양쪽 입구 쪽에는 유통기한이 임박한 커피나 각종 초콜릿, 사탕, 건강기능식품 등을 싼 가격에 살 수 있습니다. 상인들은 길거리 어디든 자리를 펼쳐놓고 집에서 굴러다닐 법한 냄비, 신발, 오래된 휴대전화, 태블릿, 시계, 기념품 등 알 수 없는 것들을 판매하고 있습니다. 벼룩시장의 재미니까요.

예전에는 주말에, 그것도 두어 달에 한 번 정도 갈 수 있었던 동묘를 이제는 일주일에도 두어 번씩 갈 수 있게 되었습니다. 도비는 자유니까요!!!

그렇게 자주 동묘를 다니다 보니 또 새롭게 눈에 띄는 것들이 있습니다. 우선은 평일에도 동묘에는 사람이 많다는 것에 놀라게 됩니다. 사실 이것은 제가 안식년에 들어오면서 아직까지도 놀라고, 가장 적응이 안 되는 하는 부분이기도 합니다. 평일 대낮에 이렇게 한가하게 동묘시장을 다닐 수 있는 사람들이 많다는 사실이요. 동묘뿐이 아닙니다. 근처 광장시장에도, 잠실역 지하 쇼핑센터에도, 백화점에도, 쇼핑몰에도, 평일 낮에 사람이 적지 않습니다. 코로나19로 인해 유동 인구가 적어진 것을 감안하더라도 말입니다.

다음으로 놀란 것은 동묘에서 장사하시는 분들입니다. 시장 사람들, 손님들과 섞여서 마구잡이로 장사하는 듯 보이지만, 그분들은 매우 체계적인 거상입니다. 수입의 규모가 상당한 분들이 적지 않습니다. 가치가 없어 보이는 것들에 최대한의 가치를 실어서 공급

할 수 있는 가장 좁은 틈새까지 관심을 기울입니다.

이렇게 또 하나 배워봅니다. 그리고 즐기기 시작합니다.

예전에는 동묘에 대해 잘 안다고 생각하니 별로 재미가 없다고 생각했습니다. 그런데 더 자주 방문하고, 더 깊게 알아가니 매일 가도 재미있습니다. 예전에는 사지 않았던 구제 옷도 구매해보고 유통기한이 임박한 커피와 사탕도 사 봅니다.

그러고 보니 잊고 있었던 추억도 되살아납니다.

고등학교 시절 좋아했던 친구가 살았던 아파트가 동묘 입구에 있었습니다. 지금은 연락도 되지 않지만, 그 친구는 여전히 추억 속의 여고생으로 잘 남아있습니다. 어쩌면 그것이 추억을 가장 아름답게 간직할 수 있는 하나의 방법일지도 모릅니다.

동묘 입구에 서서 어슴푸레 기억나는 추억 속 그 친구에게 말을 건네 봅니다.

"잘 지내지?"

안 본 눈 사세요

이전 직장에서 친하게 지냈던 이사님이 한 분 계십니다.

입사 초기부터 도와주시고 또 함께 성장하면서 많은 시간과 추억을 공유했던 터라, 지금도 가끔 연락을 주고받습니다. 엄청나게 유머가 뛰어난 분이기도 합니다.

이분의 꿈은 영화감독이었습니다.

처음 입사할 때부터 저는 책을 쓰겠다는 꿈을, 이분은 영화감독의 꿈을 서로 대놓고 밝히고 다녔다 보니, 회사의 전 직원이 다 알 정도입니다. 그렇게 시간이 흘러 이사님의 꿈은 영화감독에서 영화를 즐기는 쪽으로 전향되었고, 마찬가지로 저도 책을 쓰는 것에서 책을 많이 읽는 것으로 변해갈 때쯤, 책을 쓰겠다고 회사를 그만두게 된 것이지요. 시간이 흐르면, 꿈도 바뀌기 마련입니다. 방향이 바뀐다고 꿈이 아닌 것은 아니니까요. 이사님의 꿈은 현재로서는 과거형이 되었지만, 앞으로는 또 모르지요.

아무튼, 이러한 배경으로 이사님과 저는 각자의 영화나 책에 관한 대화를 종종 나눕니다. 이사님은 자신이 본 영화에 대한 대략의 스토리와 평론, 그리고 자신이 발견한 클리셰 등을 들려주고, 저는 제가 본 책에 대해 말하는 형태입니다. 재미있는 것은 어떤 주제가 오든 간에 우리의 대화는 이런 형태로 흘러간다는 것입니다. 또 하나 더 재미있는 것은 서로가 얘기하는 작품을 거의 본 적이 없다는 것입니다. 간혹 서로 함께 보게 된 작품이 있을 땐, 이야기가 더 풍성해지긴 합니다.

이사님과 대화하다 보면 제가 영화를 좋아하는 편은 아니라는 것을 느끼곤 합니다. 그래도 꽤 많이 본 것 같은데 말이지요. 그럴 때마다 이사님이 하는 말이 있습니다. "그 영화를 안 본 눈을 사고 싶다." 그렇습니다. 저는 그런 눈과 뇌를 갖고 있습니다. 이사님으로부터 이 말을 처음 듣게 만들었던 작품이 [아바타]였을 것입니다. 네. 그 [아바타] 영화 말입니다.

최근에는 구독형 영화 서비스가 많아져서 예전보다 영화 보기가 더 쉬워졌습니다. 제가 못 본 영화는 정말 많습니다. [포레스트 검프], [터미네이터 시리즈], [반지의 제왕 시리즈], [해리포터 시리즈], [어벤져스 시리즈] 등 그저 생각나는 대로만 적었는데도 이렇게 많습니다.

안 본 눈을 갖고 있다는 것은 희소성이라고 생각했는데 지금 생각해보니 꼭 그렇지도 않습니다. 혹시 당신도 무언가 안 본 눈을 갖고 계시는지요?

오늘은 휘발성으로 사라지는 것들 대신에, 영화라도 한 편 봐야겠습니다.

무엇을 믿고 있나요?

생각하지 못했던 질문들은 우리의 의식과 무의식에서 가장 좋은 것을 건져 올려주는 역할을 합니다. 그러다 보니 어떤 답변의 내용보다 어떻게 질문하느냐가 더 중요해짐을 느끼곤 합니다.

지금의 나에게 가장 적합하게 할 수 있는 질문은 이것입니다.

"나는 무엇을 믿고 있는가?"

이것은 꽤 오랫동안 나 자신에게 던져보고, 답해보고, 생각해 본 질문입니다. 그리고 앞으로도, 계속 답해보고, 생각하는 질문이 될 것입니다.

물론, 단편적인 답은 얼마든지 할 수 있습니다.

"저는 하나님을 믿습니다."

그렇다면, 내가 믿는 하나님은 누구신가? 교회와 사람들이 말하는 하나님과 내가 믿는 하나님은 동일한 분이신가? 이런 형태로 의문은 꼬리에 꼬리를 물고, 끝없이 이어집니다. 단편적인 답이 되었건, 끝없이 이어지는 답이 되었건 이 질문은 중요합니다. 순간순간의 삶에서 나를 일깨워 줍니다.

"지금 내가 믿는 것은 무엇이지?"

이것을 나 자신에게 일깨워 주는 것만으로도 하루를 살아가는 힘을 얻을 수 있습니다. 나의 믿음은 언제든 나 자신을 배반하지 않습니다. 다만, 그 믿음을 어떻게 설정하느냐가 중요한 것 같습니다.

바라는 것과 믿는 것은 다릅니다. 과거의 저는 때때로 바라는 것을 믿는 것이라고 생각했던 것 같습니다. 그러다 보니 믿음이라고 생각한 것에 배신을 많이 당했습니다. 사실 그것은 나의 바람이었지, 믿음이 아니었는데 말입니다.

누구나 믿는 구석이 있으면 여유로워집니다.

여유로운 상태에서는 남들과 똑같은 일을 해도 효율이 높고, 자신도 편안합니다. 저는 이제야 그것을 하나씩 배워갑니다. 어쩌면 두 번째 스무 살이 남들보다 한 바퀴 늦은 것처럼 보일 수도 있지만, 인생에서 타인과 비교하는 속도는 큰 의미가 없습니다. 지금의 배움에 만족하면 됩니다. 그 덕에 오히려 이전보다 젊어진 듯한 효과를 누리고 있습니다.

오늘도 수없이 스스로에게 이 질문을 던져봅니다.

"나는 무엇을 믿고 있는가?"

관심 없어요

책을 한 권 출간해보니 깨닫게 되는 것들이 상당히 많습니다.

그중 인간관계에 대한 부분을 한번 짚어보면, 참 재미있으면서도 한편으론 서글퍼지기도 합니다. 일단은 제 인간관계가 그리 넓은 편은 아니라는 것을 미리 밝혀둡니다.

먼저, 책을 빠르게 출간하고 싶은 욕심이 앞서다 보니 첫 책을 자비출판으로 출간하게 되었습니다. 이것은 장단점이 있습니다. 출간 이후에 마케팅이나 판매 등을 고려한다면 출판사 투고를 통해 기획 출판이라는 것을 해야 했습니다. 하지만 저는 우선 책을 한 권 완성하고 싶었고, 세상에 내보이고 싶었습니다. 그리고 언제까지 출판사의 연락만 기다리고 있을 수도 없다고 생각했습니다. 아무튼, 자비출판은 일종의 주문자 위탁 생산이라고 생각하면 됩니다. 저자가 원고를 작성하고, 출판사에서 최소한의 교정을 보고, 표지 디자인을 협의하고, 출판 부수를 정해서 그에 소요되는 비용을 내면 됩니다. 이 또한 처음이라 쉬운 일은 아니었지만, 책을 완성한 노고에 비하면 큰일은 아닙니다. 그렇게 『마음성형』이라는 책이 완성되어 나왔습니다. 인쇄된 모든 부수가 출판사 유통용을 제외하고는 저자의 소유이기 때문에 몇 권이든 신청해서 받을 수 있습니다.

그렇게 몇 부는 선물하고, 주변에 출간 소식을 알렸습니다.
저의 멘토님은 대량 구매하셔서 전 직원에게 선물하셨고, 이사님도, 함께 일했던 팀장도, 함께 고생했던 과장님들도, 친구들에게 선물할 책들을 많이 구매해주었습니다. 저의 친구들도 몇 부씩 구매해서 주변 사람들에게 선물하곤 했습니다. 오랫동안 연락하지 못했던 친구들도 SNS 등을 통해 소식을 접하고, 기대하지도 못했는데 구매 소식을 알려주었습니다. 참 고맙더군요.

그리고 지금은 책 판매의 정체기를 맞이하고 있습니다.
적극적인 홍보를 하지 않고 있는 것도 하나의 이유입니다.
하지만, 이제 곧 폭발적으로 많은 사람에게 읽히리라는 기대와 바람과 믿음이 있습니다.

물론, 홍보도 시작해야겠지요.

지금 읽고 계신, 『제대로 살고 싶다는 말』의 경우에는 꿈공장 플러스 출판사와 함께 작업할 수 있는 기회를 얻어 출간한 책입니다. 누군가 나의 글을 알아봐 준다는 것은 기분 좋은 일입니다. 덕분에 첫 번째와는 다르게 더 많은 기대와 행복한 마음으로 저의 이야기를 풀어나갈 수 있었습니다.

책을 출간한 이후에 가장 크게 느낀 것은 사람들은 정말 타인에게 관심이 없다는 것입니다. 이 또한 알고 있었다고 생각했는데 책을 낸 이후 더 크게 느끼고 있는 부분입니다. 가족도, 친구도, 아무리 가까운 사람도 기본적으로 타인에게는 관심이 없습니다. 그런데 조금 더 들여다보니 자기 자신에게도 별로 관심이 없습니다.

그렇다면, 우리는 무엇에 관심이 있을까요?
사실 너무 많은 것이 우리의 시선을 빼앗아 갑니다.
잠깐씩 스쳐 지나가는 짧은 영상들과 기삿거리, 타인의 말 등이 우리의 주의를 흩트려 놓습니다. 좋은 책 한 권을 맞이하면서도, 때론 한 장을 읽는 데만 수천 가지의 생각들이 스쳐 지나갑니다. 누군가에게 진정어린 관심을 보일 틈이 없습니다. 나 자신에게도 관심을 보이기 힘든데 말입니다.

처음에는 타인이 나에게 관심을 두지 않는 것을 서운하게 생각했습니다. 그러다가 나조차 나에게 관심을 두지 못한 것을 깨달았습니다. 그래서 이제는 나를 포함해서 타인에게 더 관심을 쏟아부어야겠다고 생각했습니다.

나의 주의를 흐트러뜨리는 것들을 조금 내려놔야 합니다.

그것이 진짜 안식과 휴식이지 싶습니다.

아는 만큼 보입니다

2022년도에 사이버대학에 입학했습니다.

원래는 21년도에 입학하고자 했는데 당시에는 이제 막 책을 쓸 생각을 하니 솔직히 엄두가 나지 않았습니다. 그리고 잠시 학위의 필요성에 대해서도 회의를 느꼈던 시기였던지라 1년이 늦어졌습니다. 전체 기간은 길게 잡았습니다. [10년간 공부해보자]였으니까요. 대학과 대학원 석사, 박사 논문까지 계획했습니다. 학위도 학위이지만, 10년간의 새로운 꿈이 생겨났다는 것이 일단 즐겁습니다.

저의 멘토이신 대표님의 아버님은 제가 처음 회사에 입사하고 얼마 되지 않아서 대학교에 입학하셨습니다. 그리고 몇 년 후에 대학원에 진학하신다고 하시더니, 얼마 전에 박사학위를 받으셨습니다.

10년이 조금 안 걸린 듯합니다. 저의 기억의 체감이니 기간은 명확하지는 않습니다. 아무튼, 70대에 시작해서서 팔순을 앞둔 나이에 박사님이 되셨습니다. 거기에 목사 안수까지 받으셔서 다른 분들은 은퇴하는 나이에 목사님이 되셨습니다.

누군가는 이런 사례를 쉽게 생각할 수도 있습니다.

예전의 저도 그랬습니다. 그러나 저는 비교적 가까운 거리에서 박사님의 삶을 보고, 들어왔기에 절대적으로 그분의 삶을 인정하게 되었습니다. 그래서 더 희망이 보입니다.

제가 입학한 학과는 [상담 심리학과]입니다.

처음에는 심리학을 공부하기 위해 선택한 학과인데 아직 1학기가 진행 중이지만, 상담이라는 것에 큰 매력을 느끼고 있습니다. 또한, 제가 개인적으로 책을 찾아가며 공부했던 내용들이 체계적으로 정리된 수업을 들으며 굉장히 만족하고 있습니다. 제가 더 어렸거나, 지금보다 의식의 수준이 낮았다면 그저 흘려들었을 법한 내용들이 수업에 많이 나오는 것을 종종 느끼곤 합니다. 지금은 온라인 강의에 꽤 몰입해서 수업을 듣고 있습니다. 역시나 신입생이라 어설프고 당황할 때도 있지만, 이렇게 두 번째 스무 살은 생동감 있고 즐겁습니다.

책을 선택하는 기준도 스펙트럼이 넓어지고 있습니다.

예전에는 읽을만한 책이 없다고 느꼈던 적도 있을 정도였는데 최근에는 읽어야 할 책이, 읽고 싶은 책이 너무나 많아졌습니다. 그만큼 의식이 성장하고 그에 따른 시야가 넓어졌기 때문일 겁니다. 정말 정확하게 아는 만큼 보입니다. 책도, 세상도, 사람도, 나 자신도 말이지요.

그러니, 의식을 성장시키고 시야를 넓히는 일에 더 힘을 쓰게 됩니다.

보이는 만큼 기회가 생기니까요.

나만의 착각

두 번째 스무 살을 보내면서 시야를 넓히다 보니, 제가 심각한 착각에 빠져 살고 있었다는 것을 조금씩 깨닫고 있습니다.

과거의 저는 어떤 사람, 어떤 상황, 특정한 문제에 대해 나만의 기준이 명확했습니다. 기준과 원칙 등이 명확한 것은 나쁘지 않습니다. 오히려 사회에서는 그런 것들을 좋아하고, 장려합니다. 덕분에 저도 직장 생활이나 사회생활에서 꽤나 인정받고, 정확한 사람이라고 평가받곤 했습니다. 그런데 그런 기준에는 심각한 부작용이 있습니다. 먼저, 타인의 평가를 과도하게 신경 쓰게 되는 것과 나만의 기준에 타인을 끼워 넣으려고 하려는 점입니다. 물론, 사람들에게 직접적으로 나만의 기준을 강요하지는 않습니다. 그것은 정말 최악입니다. 저는 다만, 지속적으로 제 기준에 어긋나는 사람들을 곱씹고 못마땅해했습니다. 때론 저와 같이 또 다른 자신만의 기준을 내세우는 사람과 충돌이 일어나기도 했습니다. 그럴 때마다 그것을 중재해주는 것은 사랑과 이해가 충만한 사람들이었지요.

저는 그동안 제 기준이 명확하다고 해서 그것을 강요하지는 않았습니다. 사람 자체가 모질지 못하다 보니 다른 기준을 갖고 있는 사람을 완전히 지워버리지도 못했습니다. 그러니 나의 기준을 조금 내려놓더라도 이해하려고 노력했습니다. 그런데 한편으론 그 내려놓으려는 행위 자체가 스스로에게 상처가 되기도 했습니다. 하지만 돌이켜보니 이는 결국 저의 좁은 시야로 인한 것이었음을 고백합니다.

공정과 정의로 대표할 수 있었던 나만의 기준이 저에게는 큰 독이자, 착각이었습니다. 이 기준이 나쁜 것이라고는 생각하지 않습니다. 지금도 그렇습니다. 하지만, 그보다 더 큰 사랑과 이해라는 범위가 있었는데, 나만의 기준이 그것을 가로막고 있었던 것입니다.

타인에게 들이대던 나만의 잣대를 결국 나 자신에게 들이댄 것입니다. 그러다 보니 어떤 때는 나만의 기준에는 한참 못 미치는 사람들이 더 행복하고, 사랑을 나누어주고, 선한 영향력들을 넓혀가는 것을 보게 됩니다. 그러면, 과거의 저는 그런 사람들이 솔직히 꼴 보기 싫은 것입니다. 이것이 영화나 드라마의 한 장면이라고 한다면, 저라는 캐릭터가 오히려 밉살스러울 것입니다.

누구에게나 자신만의 기준은 중요한 듯합니다.
자신만의 가치관, 신념, 믿음 등은 때에 따라서 육체의 목숨보다도 소중할 수 있습니다. 하지만, 저의 시야는 그 위의 법을 따르고자 합니다.

사랑과 이해의 범위 말입니다.
지금의 다짐처럼 계속 잘 될지는 모르겠습니다. 그래도 계속 훈련해 가려 합니다. 그저 막연하게 사랑하고, 이해하려는 것이 아닙니다. 더 큰 세계를 보려다 보니 느껴지는 것이라 꾸준히 시야를 넓히다 보면, 더 사랑하고, 더 이해하기가 쉬워질 것이라 생각합니다. 당신도 좋아하는 것이 있고, 당신만의 기준도 있을 것입니다. 때론 저처럼 타협해야 할 경우도 있고 새로운 세계를 맞이해야 할 경우도 생기겠지요. 저는 이 모든 과정이 시야를 넓히는 과정이라고 생각합니다.

과거의 제가 했던 특정한 말과 행동으로 부끄러운 기억이 떠오를 때가 있습니다. 하지만, 그 당시에는 저의 시야가 딱 그만큼이었기 때문에, 그 시점에서는 최선이었을지 모릅니다. 그러니 과거의 기억으로 부끄러워할 필요 없습니다. 관건은 지금입니다. 매일 하는 것은 지속적으로 시야를 넓혀가는 것입니다. 여행을 갈 수도, 책을 읽을 수도, 사람을 만날 수도 있습니다. 하지만, 어쩌면 기존의 좁은 시야에서 무작정 여행을 가거나 책을 읽는 건 또 다른 과거의 답습일지도 모릅니다.

　그래서 쉬는 시간이 필요합니다.
　지금 당신도 저처럼 쉬는 시간을 갖고 계신다면 이 모든 시간을 통해 더 큰 시야를 확보하시길 바랍니다. 저도 그러기를 바라고요.

당신이 옳습니다

저는 서점에 가는 것을 참 좋아합니다.

이렇게 말하면, 사람들은 제가 책을 좋아하니까 당연히 서점에 가는 것도 좋아한다고 생각할 테지만 그 예상은 반은 맞고, 반은 아니기도 합니다. 물론, 책을 좋아합니다. 하지만 책 사는 목적이 아니더라도 서점에 가는 것을 좋아합니다. 진짜 서점 자체를 좋아하는지도 모르겠습니다.

서점에는 서점의 분위기가 있습니다.

아주 오래전에는 동네마다 작은 서점이 있었습니다. 책방이라고 했지요. 당시 책방은 학교 앞마다 있어서 해당 학교의 교재나 부교재를 판매하기도 했고, 학습 위주의 책들, 혹은 청소년 권장 도서 등을 주로 판매했습니다. 학생 때는 그 작은 서점에서 한두 시간씩 시간을 보낸 적도 많았습니다. 그러다가 점점 작은 책방들이 문을 닫으면서, 이제는 대부분 대형서점을 이용하고 있습니다. 요즘 바라는 것이 있다면 책을 읽는 사람들이 많아져서 동네마다 마트가 생기듯, 전처럼 크고 작은 동네 서점들이 더 많아졌으면 하는 것입니다.

아무튼 저는 서점에 가면, 가장 먼저 신간 코너를 둘러봅니다. 그리고 습관적으로 자기개발서 코너, 경제-경영 코너, 베스트셀러, 인문학 서적 등의 순서를 돌곤 합니다. 여기까지가 저의 주 관심사이다 보니 그렇습니다. 그 이후에는 산책하듯 이곳저곳 다닙니다. 그러면서 책들의 제목을 훑어봅니다. 그것만으로도 꽤 재미있는 나들이가 됩니다.

에세이를 자주 보는 편은 아닙니다. 그래서 에세이를 써야겠다는 생각이 든 것은 저 자신에게 상당한 도전이자, 일종의 전환점이기도 했습니다. 제가 아는 에세이라고 하면 보통은 사람들이 누워 있는 그림의 파스텔 톤 표지에 제목은(마음가는대로 하세요)라는 형태의 힐링 에세이를 주로 떠올려서 그런가 봅니다. 몇 권을 집어 구매해 봅니다. 제목도 다양하고, 내용도 다양하고, 역시나 에세이의 세계도 참 넓습니다.

에세이를 써야겠다는 생각은 큰 이유 때문이 아닙니다.

먼저는 사람들이 가장 쉽게 읽을 수 있는 책의 형태를 찾다 보니 에세이가 적합했습니다. 그리고 그 쉽게 읽을 수 있는 글이 어떻게든 독자에게 위로가 되고, 희망이 되고, 소망이 되고, 또 삶을 이어갈 수 있는 자양분이 되기를 바랐기 때문입니다. 어쩌면 저의 전작『마음성형』도 에세이로 작성했으면 더 좋았을지도 모릅니다. 어렵다는 피드백을 많이 받았습니다. 하지만, 『마음성형』은 그대로도 괜찮습니다. 조금 이해하기 어렵더라도 원래 필요한 내용들은 모두 담아두었으니 또 필요한 날들이 다가올 것입니다.

한 권의 책이 사람의 인생을 바꿀 수 있을까요?

저는 꼭 특정한 한 권의 책은 아니더라도 책을 통해 인생이 바뀔 수 있다고 생각하는 사람 중의 한 명입니다. 그것이 저에게는 책이지만, 누군가에게는 사람일 수도 있고, 영화일 수도 있고, 여행일 수도 있습니다. 중요한 것은 우리가 타인과 세상을 어떻게 대하느냐에 달려 있을 것입니다.

**우리의 시야가 사랑과 이해로 충만하다면,
당신은 언제든 옳습니다.**

우리는 이 세상의 모든 사람을 이해할 수 없습니다.

또, 이 세상의 모든 사람을 사랑하는 것도 참 힘든 일입니다.

하지만, 조건과 행동이 아닌 존재로 대할 때 가능해지는 듯합니다.

저도 연습 중입니다. 힘내 봅시다.

전혀 다른 세상이 있습니다

 스크루지는 찰스 디킨스의 소설 『크리스마스 캐럴』에 나오는 구두쇠 영감입니다.

 어린 시절 일요일 아침마다 방영되었던 디즈니 만화 극장에서 처음 스크루지 영감을 만났습니다. 당시에는 디즈니 만화답게 스크루지가 늙은 오리 영감으로 묘사되곤 했습니다. 가장 인상 깊은 장면은 크리스마스 아침에 전날과는 완전히 다르게 변한 스크루지 영감이 창밖으로 거리를 내다보는 장면입니다. 그러나 분명 전날과 변화된 것은 아무것도 없었습니다. 변한 것이 있다면 오직 스크루지 영감의 마음뿐이었습니다. 과거와 현재 그리고 미래를 유령들과 함께 여행하면서 스크루지의 마음에만 변화가 생긴 것입니다. 이전과는 새로운 시야를 가지게 된 것이지요. 그러니 세상도 변했습니다.

역시나 아주 오래전 마이클 잭슨의 다큐멘터리를 본 적이 있습니다. 제가 기억하는 장면은 마이클 잭슨이 3층 정도에 위치한 자신의 집 창문에서 밖을 내다보니 거리에 마이클의 팬들이 가득 모여서 그에게 환호하는 모습이었습니다. 그때 마이클이 이런 말을 했습니다. "하룻밤 사이에 슈퍼스타가 되었습니다." 물론, 마이클 잭슨의 일대기를 잘 아시는 분이라면 마이클 잭슨이 하룻밤 만에 슈퍼스타가 된 것은 아니라는 것을 아실 것입니다.

다만, 최근에는 그런 일들이 많이 일어나고 있습니다.

유튜브 동영상 조회 수가 폭발적으로 상승하기도 하고 연예인이 우연히 사용한 물건이나, 옷 등이 크게 유행하기도 합니다. 특히나 평소에 주목받지 못했던 사람들도 주목받기 쉬워진 시대가 되었습니다. 몇 년 전에도 전국노래자랑에 출연해 손담비의 [미쳤어]를 불렀던 지병수 할아버지가 엄청난 조회 수를 기록하며 기초수급자에서 깜짝 스타로 거듭나기도 했습니다.

이렇게 삶은 한순간의 변곡점을 지나 전혀 다른 세상으로 변화할 수 있습니다. 그렇다고 매일이 변화의 연속이라면 곤란하겠지요. 적응하기 힘들 것입니다. 다만, 지금의 삶이 내 인생의 전부는 아니라는 사실을 기억해야 합니다. 그리고 그것은 온전히 나의 시야의 크기에 달려 있음을 알아야 합니다.

사실 세상은 변한 것이 없습니다.

다만, 시야가 좁아서 보지 못했던 것들이 시야가 넓어지는 과정을 통해 새롭게 보여지게 된 것일 뿐입니다. 스크루지 영감이 크리스마스 아침에 창문을 열어 세상을 바라보았을 때도 전날과 변한 것은 아무것도 없습니다. 스크루지 영감의 시야가 넓어졌기 때문에 자신의 욕심으로 인해 발견하지 못했던 사랑과 나눔, 그리고 관계에 새롭게 눈을 뜨게 된 것입니다.

시야가 넓어질수록 다양한 시도들이 늘어갑니다. 넓어진 시야를 통해 새로운 시도를 시작할 때 우리는 비로소 나만의 기적을 만들 수 있을 것입니다. 더 멋지게 표현하고 싶은데 현재 저의 시야는 여기까지인 것 같습니다. 분명한 것은 우리가 바라는 전혀 다른 세계, 지금의 현실과는 다른 법칙이 존재하는 세계가 있다는 것입니다. 또한, 이미 자신이 원하는 세계를 그리며 살아가는 사람들이 생각보다 상당히 많다는 것입니다.

그래서 저도 그 세계에 가보려고 합니다.

03

마음성형,
마음을 바꾸니
사람에게서 향기가 납니다

오늘도 마음성형 하세요

작년부터 블로그에 일상을 공유하고 있습니다.

『마음성형』의 초고를 탈고하고 출판사에서 교정을 보는 동안 저도 뭐라도 해야 할 것 같아서 블로그를 만들어 보았습니다. 처음에는 출간 소식도 알리고 이것저것 글도 써보았는데, 요즘은 대부분 소소한 일상과 산에 다녀온 후기 정도를 올리고 있습니다. 그래도, 꼭 마지막 인사말은 [오늘도 마음성형 하세요]로 마무리하곤 합니다.

『마음성형』이라는 책을 썼지만 저에게도 마음성형은 쉽지 않은 일입니다. 오죽하면 저의 멘토님이 출간 이후에 저에게 이렇게 말씀하시더군요.

"네가 마음성형을 했기 때문에 책을 쓸 수 있었다기보다, 책을 썼기 때문에 너의 마음성형이 시작된 거야." 이 말에 참 많이 위로받기도 했고 곱씹어 볼수록 맞는 말이라는 생각이 들기도 했습니다.

덕분에 저는 아직도 마음성형 중입니다.

먼저 내 마음이 어떤지 알아야 성형도 할 수 있으니 내 마음을 들여다보는 일이 많아졌습니다. 그리고 어떻게 성형했으면 좋겠다는 바람이 있어야 하니 나름의 목표도 세워봅니다. 동일한 환경, 동일한 사람, 동일한 조건에서 내가 어떻게 반응하는가를 최대한 객관적으로 관찰해보는 습관도 생겼습니다. 그런데 때론 예전보다 더 과민하고, 더 억지스럽게 반응하는 제 모습을 볼 때가 있습니다. 의식적인 마음은 성형되어가는데, 무의식 속에 쌓여 있는 것들이 파도, 파도 끝없이 나옵니다.

그래서 이 안식년이 저에게 새로운 생명을 준 계기라 생각합니다.

아마도 평생 모르고 살아갔을지도 모릅니다.

그저 내 무의식 속의 피해망상과 억울함, 분노, 두려움, 수치심, 화 등을 간직한 채 표면적으로만 나의 정당하고 공의로운 기준으로 포장해서 타인을 판단하고, 정죄했는지도 모릅니다. 또다시 그것이 나를 병들게 하면서 말입니다.

마음성형은 어렵습니다. 분명 쉬운 것은 아닌 듯합니다.

하지만 적절한 지식과 멘토, 그리고 지속적으로 사랑을 줄 수 있는 대상들이 있다면 생각보다 쉽게 이룰 수 있다는 희망 또한 존재합니다. 저는 지금 책으로부터, 사람으로부터, 심리학 수업으로부터, 심지어 유튜브 영상으로부터까지 영향을 받아 마음을 성형하고 있습니다. 또, 등산까지도 마음성형의 도구로 활용하고 있습니다.

그래서, 이 책을 읽으시는 여러분에게도 동일하게 인사하고 싶습니다.

오늘도 마음성형 하세요.

시야를 돌립니다

마음성형을 훈련하면서 초반에 가장 쉽지 않았던 부분이 [나의 시야를 어떻게 설정하느냐]는 것이었습니다. 아무래도 가장 좋은 방법은 시야를 넓히는 것입니다. 여행이나 직접적인 경험을 통해 물리적인 시야를 넓히고, 독서나 다양한 교류를 통해 사고의 시야를 넓히는 것이지요.

그런데, 그것이 참 말처럼 쉽지 않습니다.

좋은 여행을 다녀오면 순간적으로 시야가 넓어지는 듯하다가도 이내 다시 예전의 좁은 시야로 돌아옵니다. 좋은 책을 읽은 감동이 며칠간 지속되다가도 다시 현실에 갇혀 좁은 시야로 돌아옵니다. 그래서 어린 시절의 경험과 교육이 강조되나 봅니다. 그래도 넓어진 시야의 맛을 보면, 그리고 그 뒤에 새로운 세상이 있다는 것을 한 번 알게 되면 이 노력들이 얼마나 값진 것인지 알게 됩니다. 그래서 나름의 방법들을 고안해 봅니다.

제가 찾은 현재까지의 가장 좋은 방법은 [시야를 돌리는 것]입니다. 예를 들자면, 보고 싶지 않은 사람들에 대해서 최대한 접촉을 하고 있지 않습니다. 지금은 주변에 그런 사람들이 없긴 하지만, 과거에 그러했던 사람들의 기억도 최대한 떠올리지 않으려 합니다. 그러면서 좋은 사람들에게 더 집중합니다. 물론, 인간관계는 마음성형에서도 고난도에 해당하는 과제이긴 합니다. 특정한 사람이 무조건 좋을 수도 없고, 무조건 싫을 수도 없습니다. 친한 친구도 때론 무척이나 사랑스럽고 믿음직하지만, 때론 꼴 보기 싫을 때가 있는 것처럼 말입니다. 그럼에도 좋은 쪽으로 시야를 돌립니다.

그러는 사이 시야를 넓힐 수 있는 여유를 갖게 됩니다.

저는 주로 등산을 하며 물리적 시야를 돌리고 마음의 시야를 넓혀 가곤 합니다. 힘들게 한 발, 한 발 산을 오르다 보면 누군가를 미워하거나 화를 낼 에너지도 없습니다. 오히려 "내가 왜 그렇게 속 좁았지?"라는 생각이 더 강하게 올라옵니다. 어떤 날은 무의식에 묻어두었던 수많은 감정이 산 중턱에서 한꺼번에 터져 나온 적도 있습니다. 그때는 한 발, 한 발 오르면서 수 없이 욕을 내뱉기도 했습니다. 물론 주변에 아무도 없었으니 가능했습니다. 그것은 부끄러운 일이 아닙니다. 나의 감정을 인정해주고 표현해준 계기가 되었으니까요. 그 이후로는 산에서 힘든 고비를 마주할 때마다 오히려 즐겁고, 행복감을 느끼곤 합니다. 적어도 산에서만큼은 넓은 시야로 마음성형을 완성해 나가고 있는 듯합니다.

저는 산이었지만, 당신은 또 다른 무언가로 시야를 돌릴 수 있을 것입니다. 말씀드렸지만, 저는 안식년 이전까지 등산을 싫어하는 편에 속했던 사람입니다.

그러니 여행도, 운동도, 취미 생활도, 어떤 것도 좋지 않을까요? 우리의 시야를 돌리고, 넓힐 수 있다면 말입니다.

좋은 사람이 많습니다

저는 기본적으로 사람에 대한 신뢰가 많지 않은 사람이었습니다.
상대방의 단점을 찾는 일에 선수입니다. 상대방의 입장에서 보면
저 또한 그리 호감 가는 타입은 아닐 것입니다. 그럼에도 불구하고
모진 타입이 아닙니다. 그러다 보니 좋든, 싫든 오랫동안 알고 지낸
사람들과는 관계가 좋은 편입니다.

그래서 이런 얘기를 종종 듣습니다.
"너는 오랫동안 알고 보면 참 좋은 사람인데 처음에는 오해를 많
이 하게 돼."
덕분에 저의 첫인상만을 기억하고 헤어진 사람들은 여전히 그 오
해를 안고 살아가겠지요. 이렇듯 첫인상은 특정한 한 사람을 기억

하는 것에 있어서 꽤나 큰 비중을 차지합니다.

최근에 나 자신의 마음성형을 하면서, 정말 무수한 과거의 기억들까지 소환하고 있습니다. 그러면서 타인에 대한 신뢰가 적었던 이유들도 하나씩 깨달아 갑니다. 아무래도 성장기에 만난 사람들이 저의 인간관에 큰 영향을 끼쳤을 것입니다.

세상 사람들 대부분은 나에게 관심이 없습니다. 또 어떤 일부의 사람들은 이상하리만치 나를 싫어합니다. 그리고 또 일부의 사람들은 나에게 관심도 있고, 나를 좋아하기도 합니다. 관찰자적 시점에서 나를 보니 나는 나에게 무관심한 사람들에게 관심을 얻어내고자 하고, 또 나를 싫어하는 사람들을 신경 쓰면서 살고 있습니다.

아마 이 글을 읽는 당신은 지금의 제가 바보 같다고 생각할지 모르겠습니다. 아마 제가 이 글을 읽어도 이 저자가 바보 같다고 생각할 것 같습니다.

그런데 우리는 이런 바보 같은 일을 종종 하곤 합니다. 당신은 아니라면 좋겠습니다. 하지만 인간관계에 대해 어려움을 호소하는 사람들을 보면 많은 경우 저와 같은 일을 반복하고 있습니다. 만약 그 관계가 가족이라면 다른 방법으로 해소해나가야 합니다. (이 부분은 뒤편에서 이야기 나눌 기회가 있겠습니다.) 하지만 친구, 직장 동료, 사회에서 만나는 사람들, 이웃 등이라면 또 다르게 해결해갈 수 있습니다.

물론 저도 배워가는 중입니다.

한 예로, 몇 년 전에 회사에 입사한 차장님이 있었습니다. 당시 저는 팀장이었고 그분은 경력직으로 차장 직급으로 입사했습니다. 저는 그분을 여전히 [쓰레기]라고 부릅니다. 그리고 그분도 저를 꽤 많이 싫어했습니다. 서로 싫어하는 유쾌하지 않은 관계인 케이스입니다. 그분은 1년 정도 회사에 다니다가 이내 퇴사했고 그 이후로 꽤 많은 시간이 지났습니다. 그럼에도 여전히 저는 그 사람이 싫고 그와 관련된 내용을 떠올리면 분노의 감정이 차오릅니다. 이런 것은 어떻게 해결해야 할까요?

제가 선택한 방법은 인정입니다. (일단 여전히 그분을 쓰레기라고 불러서 미안합니다.) 그분은 그분의 인생을 사는 것이고 저는 저의 인생을 사는 것입니다. 이것을 인정하지 않으면 균열이 생깁니다. 상대방이 나를 인정해주지 않는다고 하더라도 나는 상대방을 인정해주어야 합니다. 이것이 쉽지만은 않습니다. 하지만 인정하려 노력합니다. 그러자 그분은 이제 저의 기억 속에서만 존재하는 허상 같은 것이 되었습니다. 저는 이제 사람을 상대하는 것이 아니라, 저의 기억 속 허상을 상대하고 있는 것입니다.

한 사람을 예로 들었지만, 인생에 있어서 이런 사람들이 꽤 있습니다. 그리고 직접적인 관계가 아니더라도 이런 사람들이 많습니다. 특히나 요즘은 TV, 인터넷, 유튜브, SNS에서 이런 사람들을 많이 만날 수 있습니다. 본인이 말하고 싶은 대로 말하고 자신의 주장이 절대적이라고 생각하는 사람들 말입니다. 그런 것에 주의와 집중이 팔려있다 보니 그 외의 사람들을 보지 못하고 살 때가 있습니다.

그러다 보니 좋은 사람을 만나도 알아보지 못하고 놓치는 경우도 생깁니다.

최근에 가장 많이 생각나는 형님이 계십니다. 이제는 시간이 오래 되어서 이름도, 얼굴도 희미해져서 기억나지 않지만, 잠시 추억을 되살려 봅니다. 저는 21살에 운전면허를 취득했는데, 그 당시 운전 면허 학원은 지금처럼 체계적인 것이 아니라 일종의 속성 학원이었 습니다. 승합차에 응시생들을 태워서 두어 번 운전 실습을 시키고 바로 시험을 치를 수 있도록 해주는 곳이었습니다. 그 형님을 처음 만난 건 시험장으로 이동하는 승합차 안이었습니다.

형님은 키도 작고, 뚱뚱한 편이어서 그리 호감 가는 외모는 아니었 습니다. 아마 그때 그 형님의 나이도 20대 중반이었던 것으로 기억 합니다. 같은 목표를 가진 우리는 금방 친해졌고 형님은 서글서글 하게 저에게 다가오셨습니다. 캔 커피를 주시기도 하고 식사도 함께하다 보니 첫 이미지와는 다르게 편안한 큰 형님처럼 느껴졌습니다. 기능시험에 합격한 이후에 도로주행 연수를 하면서도 형님은 자신이 도로주행 연수 비용을 내고 절반은 제가 사용할 수 있도록 해주셨습니다. 그렇게 형님과 저는 집에도 초대하는 절친한 사이가 되었습니다. 형님은 이른 나이에 결혼하셔서 신혼이셨는데 형수님 또한 제게 친근한 동생처럼 대해주셨습니다. 그러나 그 이후 기억나지 않는 이유로 형님과 연락이 끊겼는데, 최근에 그 형님 생각이 참 많이 납니다. 사회에 나와서 아무런 이유 없이 저에게 잘해주었던 거의 최초의 사람이라 그런 듯합니다. 지금 추측해 보면 기억나지 않는 이유라고는 하지만, 너무 잘해주기만 하던 형님이 부담스러워서 제가 스스로 거리를 두지 않았나 싶습니다.

세상에는 정말 많은 사람이 있습니다.

대다수는 나에게 관심이 없고, 일부는 나를 싫어하고, 또 일부는 나를 좋아합니다. 세상에 사람이 얼마나 많습니까? 일부라고 해도 모아보면 꽤 많은 숫자입니다. 그러므로 내 주의가 어디에 향하고 있는지에 따라 나의 삶은 지옥이 될 수도 있고, 천국이 될 수도 있습니다. 나를 싫어하는 사람들을 설득하거나, 회상하는 것은 그만하려고 합니다. 나에게 관심 없는 것은 당연한 일입니다. 사람은 대부분 타인에게 관심이 없습니다.

그러니 아주 일부이지만 나를 좋아하고, 혹은 내가 좋아하는 사람들로 내 주의를 돌려 보려 합니다. 나에게 관심 없던 사람들도 내가 먼저 관심을 보이다 보니 좋은 사람들이 참 많다는 걸 깨닫고 있습니다. 내가 그동안 사람들을 많이 오해하면서 살아왔나 봅니다.

주의를 둘러보니 세상에는 여전히 좋은 사람이 참 많습니다.

어떻게 하면 감동할까요?

하루를 시작하면서 종종 나 자신에게 던지는 질문입니다.

"어떻게 하면 감동할까?"

대상은 다양합니다.

가장 먼저는 나 자신. 그리고 가족, 내 주변의 사람들, 독자, 그리고 이 세상. 멋져 보이려고 대상 범위를 확장해 나갔지만, 아직은 나 자신에게 국한되어서 생각하는 것이 대부분입니다. 내가 감동하지 못하는데, 누군가를 감동시킬 수 있다는 것이 아직은 어불성설이라 느끼기 때문입니다. 더군다나 나 자신을 감동하게 하는 일도 그리 쉬운 일은 아닙니다.

최근에 저는 산에 가면 감동을 합니다.

역시나 압도적인 자연의 풍경은 근원적인 감동을 불러일으킵니다. 게다가 산에서는 가족과 주변 사람들, 독자, 세상을 향해 감동을 전달하고자 하는 욕구가 더 커집니다. 마음이 넉넉해지고, 담대해집니다. 등산이 주는 매력 중의 하나입니다. 물론, 산에서 내려오면 그 넉넉해지고 담대해진 마음이 다시 작아지거나 기억에서 흐릿해지다 보니, 아직은 내 마음의 크기와 시야를 넓히는 훈련 중이라고 생각하고 있습니다.

누군가에게 작은 친절을 베풀거나 작은 선물을 하는 것도 감동이 됩니다. 받는 사람도 감동이겠지만, 주는 사람의 입장에서도 감동이 됩니다. 최근에는 저도 주변으로부터 많은 것을 받고 있습니다. 누군가에게 바라는 것 없이 주는 것도 훈련이 필요하지만, 감사하게 받는 일도 일종의 연습이 필요한 듯합니다. 예전에는 무언가 받으면, 그만큼을 되돌려 주어야 한다는 부담감이 있었습니다. 지금도 그 생각이 많이 바뀐 것은 아니지만, 대상이 조금은 달라졌습니다. 꼭 나에게 무언가를 준 사람에게 되돌려 줄 생각보다는, 또 다른 사람들에게 내가 받은 감동을 전해주는 방향으로 말입니다.

이것은 마치 TV 속의 연예인이 나에게 웃음과 감동을 주었다고 해서, 그 연예인에게 내가 웃음과 감동을 돌려줄 수는 없는 이치와 비슷합니다. 나는 또 나에게 맞는 누군가에게 내가 받은 감동을 전해주면 됩니다.

감동의 시작은 지하수를 펌프로 퍼 올리는 마중물을 붓는 것과 같습니다. 누군가는 최초의 마중물을 부어야 합니다. 그러면 지하 속에 매장된 시원한 생수를 양껏 퍼 올려서 많은 사람과 나눌 수 있습니다. 그 마중물을 붓는 사람이 제가 되기를 항상 자원해봅니다. 혹은 누군가 마중물을 먼저 붓는다면, 그것에 진심으로 감사하고 저는 제가 할 수 있는 방법으로 그 감동을 전하고 싶습니다.

그래서 저는 오늘도 스스로에게 질문해봅니다.

"어떻게 하면 감동할 수 있을까요?"

어렵습니다

회사에 다니면서, 여러 프로젝트와 업무들을 수행할 때 종종 되뇌었던 말이 있습니다.

"That's an easy fix."

해결되지 못할 것 같은 과제들이 몰려올 때마다 나 자신을 독려하며, 일종의 주문처럼 중얼거리곤 했습니다. 사람들이 저에게 도움을 청하거나, 자문하면 외부적으로 대응하는 대답 역시 "다 됩니다."였습니다.

그런데 사실 이것은 실무적으로 상부의 결정이 떨어진 이후부터 가능한 주문입니다.

 그 이전에 사업성을 판단할 때, 혹은 실제 진행 직전에는 오히려 부정적 의견을 더 많이 피력했었던 것이 사실입니다. 그럼에도 일단 사업이 진행되면, 이전의 부정적 태도에서 완전히 협력적인 태도로 돌아섭니다. 이상하지만 독특한 저만의 습성이자 능력이기도 합니다.

 제가 준비했던 사업 프로젝트가 진행될 때는 물론 적극적인 협력자의 포지션을 취하겠지만, 좌절될 때도 있습니다. 반면에 제가 무척이나 반대했던 사업일지라도 진행하기로 결정되면, 저는 적극적인 협력자로 돌아섭니다. 이것이 제 회사 생활의 업무수행 방식이었고 조직에서의 역할이었다고 생각합니다.

 어떤 분들은 공감할 것이고, 또 전혀 공감을 못 하는 분들도 계실 것이라 생각합니다. 저도 객관적인 입장에서는 전혀 공감되지 않습니다. 하지만, 장기판 내부의 말 또는 그 말의 방향을 결정하는 플레이어의 시야와 그 경기를 관전하는 훈수꾼의 시야와 입장은 참 다른 법입니다.

 저는 아마도 당시 제 포지션을 명확하게 규정하지 못했었던 것 같습니다.

실제 포지션은 장기알인데, 플레이어와 같이 생각해야 하다 보니 종종 플레이어의 위치에 서기도 했습니다. 그러면 훈수꾼이 제가 장기알인 것을 상기시켜 줍니다. 재미있는 것은 장기알, 플레이어, 훈수꾼은 결국 같은 입장이라는 것입니다. 누가 누구라는 것을 결정해주는 것은 없습니다. 얼마나 조화로워질 수 있느냐가 관건입니다. 사업승인이 개시된다는 것은 각자의 포지션이 정해졌다는 것입니다. 그러니 그 이후에는 일이 쉽습니다. 대부분의 어려운 일은 각자의 자리를 이해하지 못하는 것에서 비롯됩니다.

저는 이것이 모든 일을 어렵게 만드는 저의 습성이라고 생각하고 자책하면서 살았던 적이 있습니다. 그리고 실제로 어떤 때는 모든 일이 다 어렵게 느껴졌습니다. 그러니 아무 시작도 못 한 채, 그것이 왜 어려운지를 점점 더 실감하며 더 많은 정보와 이유들을 찾아내곤 했습니다.

책 쓰는 것 역시 마찬가지입니다. 최근에 책을 쓰고 싶어 하고, 또 실제로 책을 쓰는 사람들이 많아졌습니다. 그러다 보니 책을 쓰는 강좌들도 많이 개설되어 있습니다. 저도 언젠가 한 강의를 들어보고는 싶었는데, 이런저런 핑계와 같은 이유로 강의는 들어보지 못하고 책을 출간하게 되었습니다. 또 지금도 이렇게 책을 쓰고 있습니다.

어찌 되었건 책의 출간 소식을 알리면, 대부분의 반응이 비슷합니다. 인사치레도 들어가 있겠지만, 거의 나오는 반응 중의 하나는 [대단하다]입니다. 그만큼 글을 쓰고, 그것을 모으고 엮어서 책으로 출간한다는 것이 어렵다는 인식이 강해서일 것입니다. 물론, 책을 쓰는 것은 쉬운 일은 아닌 듯합니다. 특히나 좋은 책을 쓴다는 것, 잘 팔리는 책을 쓴다는 것은 더더욱 그렇습니다.

반면에, 자신만의 책을 쓴다는 것은 그렇게까지 어려운 일은 아닙니다. 이것은 자신이 장기알인지, 플레이어인지, 훈수꾼인지를 혼돈해야 하는 게임이 아닙니다. 책을 쓰기 어려운 이유를 지금부터 늘어놓자면, 이 책의 분량이 지금보다 열 배 이상은 늘어날 것입니다. 하지만, 단 한마디로 시작할 수 있습니다.

"Just Do It. 그냥 해봐."

우선 쓰기 시작하면 됩니다.

세상 사람들은 나에게, 나의 글에, 대부분 관심이 없습니다. 그러니 나의 흔적을 조금씩이라도 남겨보는 것도 괜찮습니다. 일부는 나를 이유 없이 싫어합니다. 그들은 내가 책을 쓰건, 밥을 먹건, 친구를 만나건, 무엇을 하건 싫어합니다. 그들에게는 우리의 주의를 나눠줄 여력이 없습니다. 그리고 일부는 나와 당신에게 끝없는 지지와 사랑을 보냅니다. 그리고 또 그들의 주변에 그들을 지지하고 사랑하는 사람들에게 우리의 글이 전달될 것입니다.

그러다 보면 또 누가 알겠습니까?

책을 예로 들었지만, 우리 일상에서 접하는 참 많은 일들이 어렵게 느껴집니다. 이제는 그럴 때마다 먼저 나의 포지션을 정해봅니다. 그리고, 마법의 주문을 외쳐 봅니다.

"That's an easy fix. 별거 아냐!"

마음의 비타민

40대가 된 이후부터는 매일 챙겨 먹는 비타민의 종류도 늘어갑니다. 오메가3부터 시작해서 비타민B군의 종합 영양제, 마그네슘, 그리고 가끔 먹어주는 홍삼 팩 같은 음료까지. 하나, 둘 챙겨 먹는 게 많아지는 나이가 되었습니다.

그래도 예전에 비하면, 상당히 건강합니다.

체중도 20kg 이상 감량해서 몇 년째 유지 중이고 정기적으로 등산도 다니다 보니 오히려 20대 후반 시절의 체력보다도 지금의 체력이 더 좋다고 느낄 때가 종종 있습니다. 술은 원래도 즐기지 않았던 것이니 넘어가더라도, 20대 초반부터 거의 매일 한 갑 이상 태우던 담배도 최근에 거의 끊다시피 했습니다. 거의 끊다시피 했다는 것은 완전히 끊지는 못했다는 표현입니다. 하루에 딱 한 개비를 피우곤 합니다. 그것이 가끔은 두 개가 되는 날도 있지만, 최근 일 년 이상은 계속 하루 하나입니다. 이것도 온전히 끊어버리는 날이 오겠지요.

담배 이야기가 나와서 조금 더 이어가 보면, 저도 꽤나 담배 중독이었습니다. 아침에 일어나서 피우고, 커피 마시면서 피우고, 밥 먹고 피우고, 심심해서 피우고, 즐거워서 피우고, 슬퍼서 피우고…. 어쩌다가 담배라는 것을 배워서 20년 이상을 피워댔습니다. 지금도 온전히 끊었다고 할 수는 없지만, 가장 좋은 것은 담배에 예전처럼 의존하지 않는 것입니다. 물론 하루에 한 개비 피우는 것도 끊을 수 있겠지만, 하나라도 피우는 것은 그저 저에게 허락한 마지막 일탈입니다. 그 누구에게도 피해 주지 않고, 그저 혼자 하루를 마무리하며 갖는 작은 사치입니다.

때로는 종교적 이유로 담배를 끊어본 적도 있습니다. 아무래도 집사와 교사로서 사람들에게 부끄러운 면이 있는 것이 사실입니다. 그런데 신기하지요. 저를 창조하신 하나님께는 부끄러운 행동이 아닌데, 사람들에게는 부끄럽다는 느낌이 든다는 것이요. 그러다 보니 종교적인 사유로는 끊어내지 못했습니다. 다만 지금은 담배를 피우기 위해 전전긍긍하고, 사람들에게 알게 모르게 피해를 주고,

좁은 흡연 구역에서 뿌연 연기를 타인과 공유하면서까지 담배를 피우고 싶은 마음은 전혀 없습니다. 예전에는 담배가 여유롭고, 야성적인 멋의 상징이었는데 이제는 눈치 보이고, 타인에게 피해를 주는 것의 대명사가 되었습니다. 저 역시 아직은 공간적 여유가 허락되는 곳에서 하루를 마무리하면서 한 개비의 담배를 스스로에게 허락하고 있지만, 이 또한 시한부로 끊어낼 날이 오겠지요.

저의 자랑스럽지 못한 스토리를 길게 늘어놓은 이유는, 많은 사람이 이러한 술, 담배 등에 기대어 마음의 위안을 얻으려는 것에 대한 이야기를 하고 싶어서입니다. 수많은 미디어에선 때와 상황에 따라 이것을 적극적으로 권장하기도 합니다. 담배는 조금 덜하지만, 여전히 술에 대해서는 모두가 상당히 관대한 것이 사실입니다.

[삼겹살에 소주 한 잔]
이 문구를 보면, 어떤 그림이 떠오르시나요? 술을 좋아하지 않는 저조차도 이 문구를 보고 있자니 무언가 따뜻하고, 정겨운 그림이 떠오릅니다. 종일 격무에 시달린 우리네 아버지들이 서로를 위로하면서 소주 한 잔에 삶의 무거움을 털어내려는 듯한 애틋한 그림이 그려집니다. 꼭 그런 것만은 아닌데 말입니다. 삶의 그림은 때론 너무나 무섭게 다가옵니다. 한 잔의 소주는 행복한 그림으로 그려지지만, 지나친 음주로 인한 크고 작은 실수는 돌이킬 수 없는 상황

을 만들기도 합니다. 때론 누군가의 목숨을 빼앗아 가기도 합니다.

다양한 이유가 있겠지만 때때로 사람들이 술을 마시거나 담배를 피우는 이유는 마음의 공허함을 채우기 위함입니다. 그 공허함을 메우려고 사람을 만나고, 마음을 나눕니다. 물론, 적당한 음주와 대화는 언제나 즐겁습니다. 하지만, 적당히로 끝나지 않는 경우가 왕왕 있습니다.

우리는 근본적으로 마음의 비타민이 필요합니다.
마음의 비타민이 부족하다 보니 새로운 사람을 찾고, 술을 찾고, 담배를 찾습니다. 물론 사람을 만나고, 적당한 음주를 즐기고, 담배를 피우는 것을 반대할 권한은 제게 없습니다. 다만, 그런 것들로는 해결이 되지 않는다는 이야기를 전하고 싶습니다.

저에게는 마음의 비타민이 책이지만, 당신에게는 다른 것일 수도 있습니다. 물론 자신만의 마음의 비타민을 갖는다고 해서, 다른 것들을 포기해야 하는 것도 아닙니다. 제가 하루에 한 갑 이상 피우던 담배를, 하루에 한 개비로 줄일 수 있었던 것처럼 말입니다. 가장 중요한 것은 자신만의 비타민을 찾는 것이 아닐까요?
저에게는 등산 역시 육체적인 단련을 위한 도구임과 동시에, 마음의 비타민이기도 합니다. 굳이 따지자면 육체보다 마음의 비타민이 더 강한 활동입니다.

어쨌든 저는 이렇게 마음의 기초 체력을 회복해나가고 있습니다. 그러다 보니 마음에 여유가 생겼습니다. 이전보다 더 많이 웃고 더 큰 행복감을 느끼고 있습니다. 가끔은 맥주 한 캔 정도 마셔볼까? 라는 여유까지 생겼습니다. 물론 시원하게 한 잔 마시면, 저의 경우에는 바로 후회하리라는 것도 잘 알고 있습니다.

그러면 또 어떻습니까?
이것도 새로운 저의 비타민이 될지 모릅니다.

불편한 선택

저의 전작 『마음성형』에서는 이른바 [불편한 선택]이라는 부분이 나옵니다. 살짝 발췌해보면, 이렇습니다.

[합리적인 방식이 아닌, 비합리적으로 보이는 것을 선택해보는 것이다. 자신에게 이익이 되는 것이 아닌, 손해처럼 보이는 것을 선택해보는 것이다.]

도대체 왜 그래야 하는 것일까요?

동시대를 살아가는 우리는 그 어느 때보다도 더 합리적인 시대에 살고 있습니다. 합리적인 이해, 합리적인 사고, 합리적인 소비, 합리적인 관계 등 모든 것이 합리적이라는 프레임 속에서 움직이고 있습니다. 그러면서도 때론 비합리적인 것들을 기대합니다. 수

많은 요행을 바라는 행위, 이를테면 복권 구매, 깜짝 선물 같은 것들 말입니다.

무언가 기대한다는 것은 좋은 일입니다. 때론 그것이 우리 삶의 원동력이 되고, 또 다른 종류의 비타민이 되기도 합니다. 그런데 때때로 그러한 기대와 우리의 삶이 일치하지 않다 보니, 세상은 우리에게 깜짝 선물을 주고 싶어 하면서도, 한편으론 우리의 선택을 관찰합니다. 그 결과 세상은 우리가 기대하는 것이 아닌, 우리의 합리적 프레임 안에서 [받을법한] 것들을 줍니다. 결국 그렇게 우리는 우리가 선택한 것들을 받습니다.

내가 한 시간을 일했으니, 시간당 급여로 한 시간만큼의 돈을 지불받는 것과 같습니다.

성경에서는 마태복음 20장에 포도원 일꾼의 비유가 나옵니다.

요약해보자면, 아침 일찍 포도원에 들어간 일꾼과 점심때쯤 포도원에 일하러 들어간 일꾼과 업무가 마감되기 한 시간 전쯤에 들어간 일꾼들이 포도원 주인으로부터 품삯을 정산받을 때 생기는 이야기입니다. 포도원 주인은 이미 일꾼을 모집할 때 품삯을 사전 공지했습니다. 다만, 언제 들어온 일꾼이든 간에 품삯이 동일했다는 것이 문제라면 문제입니다. 그럼에도 정산 시간이 되자, 아침 일찍 포도원에 들어온 일꾼들은 나중에 들어온 일꾼들보다 더 많은 품삯을 받을 것이라 기대합니다. 그러나 포도원 주인은 처음에 약속한 대로 동일한 품삯을 일찍 온 일꾼이나, 늦게 온 일꾼이나 동일하게 지급했습니다. 그러자 일찍부터 일한 일꾼들이 불평합니다. 그러자 포도원 주인이 대답합니다. "친구여, 내가 네게 잘못한 것이 없노라. 나는 너와의 약속을 지키지 않았는가?"

이 이야기에서 누가 가장 합리적이라고 생각하시나요? 판단은 각자의 몫으로 남기겠습니다.

여기서 중요한 건 누군가에게는 울분을 터뜨릴만한 이 이야기가, 누군가에게는 가장 따뜻한 감동의 이야기가 될 수도 있다는 것입니다. 가장 마지막에 포도원에 일하러 들어온 일꾼에 대해 생각해봅니다. 그들이 과연 어디선가 실컷 놀다가 늦게 포도원에 들어온 것일까요? 그건 모를 일입니다. 하지만 이 일꾼들의 공통점은 이날의 일과 품삯이 없었다면, 그날 하루를 굶을지도 모른다는 사실입니다. 저는 이 이야기에서 처음 들어온 일꾼과 나중에 들어온 일꾼, 그리고 마지막으로 포도원 주인에 나 자신을 대입해보았습니다. 정말 신기하게도 오랜 시간에 걸쳐서 이 순서대로 나 자신을 투영해보는 시간을 가졌습니다.

우선 일찍 들어온 일꾼의 입장에서 생각하니, 포도원 주인의 말이

맞기는 하지만 마음이 어려웠습니다. 머리로는 이해가 되지만, 감정이 상하는 것은 어쩔 수 없고, 또 그 상한 감정을 바라보고 있자니 나 자신이 한심해 보이기도 했습니다.

마지막으로 들어온 일꾼의 입장으로 생각하니, 먼저 들어온 일꾼들에게 눈치가 보이기는 하지만, 하루의 생명을 연장할 수 있다는 것에 다행이란 생각이 들었습니다. 이것은 나에게 생존의 문제이기 때문입니다. 나는 오늘 이 포도원에 들어올 수 없었다면, 하루를 굶거나 더 이상 버틸 힘이 없어 죽었을지도 모릅니다. 품삯에 불만을 품어 주인에게 따지는 먼저 들어온 일꾼들에게는 정말 미안합니다. 하지만 또 한편으로 너무나 감사합니다. 그러니 나는 이러지도 저러지도 못하고, 미안함과 감사함에 한쪽에 쭈그려 앉아 조용히 눈물을 훔칠 수밖에 없습니다.

그리고 이제 주인의 입장입니다.
나도 잘 알고 있습니다. 일찍 온 일꾼에게 품삯을 더 주고, 나중에 온 일꾼에게 품삯을 덜 주는 것이 합리적이라는 것을요. 하지만 애초에 일찍 온 일꾼에게도, 나중에 온 일꾼에게도 동일하게 품삯을 줄 것을 약속했습니다. 더군다나 그 품삯은 일찍 온 일꾼에게든, 나중에 온 일꾼에게든 하루를 살아갈 수 있는 소중한 양식임은 같습니다. 일찍 온 일꾼에게 품삯을 더 주고, 나중에 온 일꾼에게 품삯을 덜 주는 것이 합리적이지만, 그렇게 되면 나중에 온 일꾼은 하루를 살아내지 못할지도 모릅니다. 그러니, 내가 생각해봐도 불합리해 보이지만 약속한 대로 품삯을 주는 게 맞다는 결론에 이르게 됩니다.

이것은 물론, 순수하게 제가 느끼는 감정들일 뿐입니다.
그래서 판단은 각자의 몫으로 남겨둔다고 한 것입니다. 하지만 어떤 식이든 합리적인 판단과 사고에 길들여진 나에게 불편한 선택들은 삶을 풍성하게 해주는 계기가 됩니다. 너무나 오랫동안 합리적인 것들로 도배되었던 삶이기에 아직도 많은 연습을 해보고 있습니다.

그것은 아주 사소한 것들입니다.
평소에 다니지 않았던 길로 가보고, 먹어보지 않았던 메뉴들을 선택해보고, 뭔가 불합리해 보이고 불편해 보이지만, 그것이 누군가에게 조금이라도 따뜻함을 전할 수 있는 일이라면 한 번쯤 도전해보는 그런 것입니다.

이 연습이 또 다른 저의 천성이 되길 바라봅니다.

판단이 아니라, 이해입니다

 사람들은 자신만의 기준으로 타인을 판단하는 것을 즐겨합니다.
저 또한 그런 무리에서도 상위 순위에 속했던 사람입니다. 물론 기
준은 사람마다 다릅니다. 그러니 [자신만의 기준]이라는 말도 나왔
을 겁니다. 누군가는 외모나, 재산 수준, 직업 등으로 사람을 판단
하는 것을 좋지 않게 보기도 합니다. 하지만, 돌아보니 그러한 기
준은 아무런 의미가 없었습니다. 저는 스스로 사람의 진실성, 성실
성, 의지, 열정 등으로 사람을 판단한다고 착각하며 살아왔습니다.
그 또한 그저 나 자신을 정당화하기 위한 방어의 수단이었을 뿐이
었는데 말입니다. 누군가를 판단한다는 행위 자체가 기준과 관계없
이 문제였습니다.

때론 판단이 필요한 경우도 있습니다.

회사에 다닐 때는 면접관으로 참여하는 경우가 잦았기 때문에 이 사람이 해당 업무에 적합할 것인지, 잘 적응할 수 있을 것인지, 미래 가치가 얼마나 잠재되어 있는지 등에 관한 내용을 여러 자료와 그간의 경험들을 통해 판단해야 했습니다. 그러나 그 외의 만남과 관계는 면접이 아닙니다. 저도 면접관이 아니고, 상대방도 면접자가 아닙니다. 그럼에도 때론, 누군가와의 만남에서 제가 면접자인 것과 같은 느낌을 받을 때가 있습니다.

코로나19가 기승을 부리니 모두가 마스크를 착용하고 다닙니다. 그런데 간혹 마스크를 내리고 다니거나, 아예 마스크를 벗은 채로 상점에 드나드는 사람들을 볼 때가 있습니다. 특히나 바이러스가 조금 잠잠해지는 시기에는 유독 더 눈에 띄게 이와 같은 사람들을 볼 수 있습니다. 얼마 전에 타계하신 이어령 선생님께서 마스크에 대해서 "나 자신과 타인을 위해 착용하는 것"이라고 언급하셨던 기억이 있습니다. 마스크가 바이러스 퇴치에 효능이 있고, 없고의 문제는 차후입니다. 많은 사람이 서로를 보호하기 위해 일종의 사회적 합의와 약속을 한 것이지요. 그런데도 그것에 불응하는 사람들을 종종 봅니다. 솔직히 저는 그럴 때 화가 납니다. 판단의 문제가 아니라, 그저 분노가 올라옵니다. 어디 마스크뿐인가요? 힘이 있고 정보가 있는 사람들이 그것을 활용해서 부당한 이득을 취하는 경우도 있습니다. 지난 LH 사건에서도 사전에 개발정보를 입수하여 해당 부지에 대한 이득을 취한 사례가 있었습니다.

이렇듯, 어떤 기준에 입각하여 세상을 바라보면 분노할 것들이 한둘이 아닙니다. 모두가 억울할 일이고, 내가 아니더라도 억울한 일을 당한 사람들은 어디에나 널려 있으며, 모두가 자신의 이익을 대변하는 주장만 늘어놓는 듯 보입니다.

그러다 보니 지금의 사회는 [분노와 분열]을 조장하는 분위기가 늘어가고 있는 듯합니다. 그것은 때론 좋은 돈벌이가 되기도 합니다. 특정인, 특정 사건, 특정 이념 등으로 분열을 조장하고, 트래픽을 발생시키면 조회 수가 돈이 됩니다. 그것에 광고가 붙고, 어떤 이는 분노를 해소하기 위해 소비를 합니다. 이런 악순환의 반복이 가짜뉴스를 생성하고, 극성-극우 유튜버를 생성합니다. 하지만 차분하게 바라보니, 분노와 분열을 조장하는 분위기와 그것을 실제 조장하는 무리는 극소수입니다. 대부분은 그저 순간의 감정에 휩쓸리는 것뿐입니다. 한 사람, 한 사람을 대하다 보면 우리 주변에는 좋은 사람들이 대다수입니다.

저희 집 근처에는 매일 빈 깡통과 재활용품을 수거하시는 할머니 한 분이 계십니다.

역시나 그 할머니는 마스크를 턱에 걸치시고, 근처 고물상에서 매번 공짜 커피믹스를 4~5잔씩 드신다고 합니다. 그런데 알고 보니 그분은 자신이 매일 작업하는 뒤편 건물의 건물주였습니다. 요즘 소위 말하는 조물주 위의 건물주인 것입니다. 저도 우연한 기회에 알게 되었지만, 왜 그분이 매일 재활용품을 정리하셔서 고물상에 가져가시고, 커피믹스를 그렇게나 많이 드시는지는 모릅니다. 솔직히 관심도 없긴 합니다. 하지만 그분이 나중에 그 모든 재산을 사회에 기부하게 된다면 어떤 뉴스가 뜰까요? 그런 일들은 해마다 종종 일어납니다. 평생 김밥을 팔아 번 돈을 대학에 기부하신 할머니, 아무도 모르게 해마다 특정 지역 재단에 기부하시는 이름 모를 천사.

우리 동네 할머니가 기부하실지, 어떻게 사용하실지는 알 수 없습니다. 그것은 그분의 자유입니다. 다만, 저는 그것을 통해 타인을 판단하려는 습성을 버리는 연습을 하고 있는 것입니다. 대부분의 경우 판단은 저에게 도움이 되지 않습니다. 물론, 상황적 판단은 필요하겠지만요.

사람에게는 판단보다, 이해와 관심이 더 필요합니다.
이런 아주 빤하고 쉬운 명제를 마흔 살이 넘어서야 제대로 배웠습니다. 그리고 아직도 연습 중입니다. 저는 이것을 훈련 중이라고 부릅니다. 왜냐하면, 저는 사람에 대해 관심이 없었던 사람 중의 하나였으니까요. 타인에게도, 그리고 나 자신에게도 관심이 없었던 것 같습니다. 도대체 무엇에 관심이 있었는지 모르겠습니다.

그저 허상입니다.

사회에서 말하는 성공이라고 하는 허상에 사로잡혀서 의지도 없이 살아왔나 봅니다. 무엇이 정말로 소중한 것인지, 무엇에 가치를 두어야 하는지 이제야 제대로 배웁니다.

그래서 이 안식년은 지난 사십 년의 인생보다 더 많은 것들을 저에게 가르쳐주고 있습니다.

저도 운이 좋은가 봅니다. 어떻게 여기까지 오게 되었을까요?

내려놓는 중입니다

꽤 오래전에 『내려놓음』이라는 책이 베스트셀러에 오른 적이 있습니다. 그 이후로도 [내려놓는] 주제는 다양한 방법으로 표현되곤 합니다. 여전히 이 [내려놓음]을 수많은 사람이 도전하고, 인생의 수행처럼 행하려 합니다. 저도 오래전에 해당 책과 또 비슷한 책을 읽었던 적이 있는데, 그때마다 제가 들었던 주된 생각은 [뭘 잡은 게 있어야 내려놓을 것이 아닌가?] 였습니다. 부끄럽지만, 솔직하게 느낀 저의 당시 감정입니다.

내려놓음을 가장 쉽게 이해할 수 있었던 비유를 들자면 이렇습니다. 어린아이가 갖고 싶은 장난감을 집어 듭니다. 아이는 그 장난감이 너무나 마음에 들어서 한시도 손에서 내려놓고 싶지 않습니다. 하지만 아이는 내려놓아야 합니다. 잠시 그 장난감을 계산대에 내려놓아야 부모님, 혹은 보호자가 장난감값을 지불할 테고 그렇게 계산이 끝나야만 그 장난감은 온전히 그 아이의 것이 되기 때문입니다.

또 원숭이와 관련된 비유도 있습니다.

인도양의 한 섬에서는 원주민들이 독특한 방법으로 원숭이를 잡습니다. 원숭이 손이 들어갈 만한 목이 좁고 긴 호리병 속에 쌀을 넣어둡니다. 그러면 쌀을 좋아하는 원숭이들이 호리병에 다가와 손을 넣고 쌀을 한 줌 움켜쥡니다. 그러나, 쌀을 움켜쥔 상태에서는 호리병에서 손을 뺄 수 없습니다. 원숭이가 도망갈 방법은 간단합니다. 손에 움켜쥔 쌀을 놓기만 하면 됩니다. 그런데 원숭이는 끝끝내 그 손을 놓지 않고, 원주민에게 잡히고 맙니다.

아마 이곳저곳에서 비슷한 비유를 많이 들어보셨을 것입니다. 저도 그렇습니다. 아이는 아직 어리니까 그렇다고 하고, 원숭이는 아무래도 사람보다는 어리석다고 치부할 수도 있습니다. 그리고 나 자신을 봅니다. 저는 아직 내려놓지 못한 것이 뭐가 있는 것일까요? 내 손에 잡은 것이 아무것도 없어서, 내려놓을 것이 없다고 생각하고 있는 것일까요?

잠시 저의 멘토님 이야기를 들려드리도록 하겠습니다.

멘토님은 메타인지가 정확하신 분이십니다. 자신이 무엇을 알고, 무엇을 모르고, 무엇을 할 줄 알고, 무엇을 할 줄 모르고, 자신이 할 줄 모르는 일은 어떻게 해야 하는지를 정확하게 아는 사람입니다. 그분은 때론 입버릇처럼 이렇게 말씀하십니다. "나는 무식해서 잘 모르니까, 네가 잘 도와줘야 해." 조금은 과격하게 표현하신 것이지만, 정말 모르는 것도 있으셨으니 아주 틀린 말은 아닙니다. 그런데 이 [무식]이라는 단어를 오해하면 안 됩니다. 세상에서 가장 똑똑하다고 인정받는 아인슈타인이 살아 돌아와도, 모든 사람이 한국어로 대화한다면 그는 [무식]한 것이니까요. 그만큼 멘토님은 자신이 아는 것과 모르는 것의 차이를 정확하게 아는 몇 안 되는 메타인지의 소유자입니다. 그러다 보니 정말 많은 것을 배울 수 있는데, 그중의 하나가 [엄청난 활용성]입니다. 그분은 아주 작은 원리의 사실 하나만 가지고도, 무궁무진한 활용성을 만들어내는 재주가 탁월한 사업가입니다. 누구나 알법한 사실과 원리를 폭발적인 결과로 이어지게 만드는 것에 대가입니다. 동일한 캔버스와 붓, 물감이 있는데 그 캔버스 앞에 제가 앉아 있는 것과 피카소가 앉아 있는 것을 예로 든다면 이해가 쉬울까요? 결론적으로, 어떤 일을 하더라도 결과가 다른 사람입니다. 여기서 중요한 건, 그런 그분이 남들과 다르게 엄청나게 다양한 지식과 노하우들로 무장한 사람이 아니라는 것입니다.

다만 그분은 아주 작은 것이라도 활용하는 방법이 다릅니다. 특히나 사람에 있어서는 더 그렇습니다. 보잘것없어 보이는 사람도 귀하게 대합니다. 혹 그 사람이 쓸데없는 소리를 늘어놓더라도 한동안은 들어주기만 합니다. 사람의 업적과 잘한 부분을 칭찬하기도 하지만, 우선적으로 그 존재를 격려합니다. 그리고 먼저 베풀어줍니다. 베풀고 난 이후에는 잊어버립니다. 그것을 오랫동안 가까이에서 보아왔음에도, 저는 그동안 다른 해석을 하고 있었습니다. 이것은 저뿐만은 아닙니다. 현재 저의 멘토님과 함께 일하고 계신 분들도 저마다의 해석을 내리고 있을 것입니다. 조금 거리를 두고 관찰해보고, 복기해보니 가까이에서 느꼈던 것보다 더 많이 배우고 있습니다. 저의 시각에서 멘토님이 손해라고 생각했던 모든 선택이 하나의 내려놓음의 방편들이었던 것을 이제야 깨닫습니다.

　어쩌면, 제 인생도 그런 듯합니다.
　제 인생에서 아주 가까이 쥐고 있었던 것들, 포기할 수 없었던 것들, 잡은 것이 없다고 생각했지만 꽉 움켜잡고 있었던 것들. 그런 것들이 문득 스쳐 지나갑니다. 직장에서는 월급, 상여금, 보너스, 휴가 등과 같은 것들 말입니다. 마찬가지로 연애도 해야 하고, 결혼도 해야 하고, 더 나아가 육아도 해야 합니다. [해야 한다]고 생각했습니다. 그것들을 더 잡기 위해 다른 방법을 선택했다고 생각했는데, 인생은 저에게 [내려놓는] 길로 인도해주고 있습니다.

당장은 이 기분이 참 좋습니다.

적어도 무언가 물살을 거슬러 올라가는 기분은 아닙니다. 그저 물길이 흐르는 대로 온몸에 힘을 빼고 몸을 맡기는 기분입니다. 물론, 이 물살이 깎아지른 폭포 아래로 떨어질지도 모른다는 두려운 마음이 들 때도 있습니다. 하지만 그런 폭포를 만난다면, 물살을 가로지른다고 해도 살아남기는 어려울 것입니다. 그래서 차라리 더 힘을 빼고, 더 기분 좋게 나를 맡겨봅니다.

이 정도면 잘 내려놓고 있는 것 아닐까요?

04

가족,
책임감이라 쓰고
사랑이라고 읽습니다

팬데믹 초상집

작년 3월 저의 첫 책『마음성형』초고를 쓰기 시작한 시점에 외할머니의 부고 소식이 날아왔습니다. 몇 년 전에 외할아버지가 돌아가시고, 막내 이모 댁에서 요양하시던 외할머니마저 돌아가신 것입니다. 저녁에 연락받고 바로 장례식장으로 향했습니다.

당시 상황은 그리 좋지 못했습니다. 코로나19로 인해 장례식장에 인원 제한도 있었고, 혼자 외할머니를 모시던 막내 이모의 가슴속에 응어리진 아픔을 서로 너무 오랫동안 무심히 넘겼던 터라 더더욱 그랬습니다. 언젠가 맞이해야 할, 그 시간을 맞이했습니다. 제주도에서, 원주에서, 부천에서, 각자의 자리에서 별다른 교류 없이 지냈던 삼촌과 이모들이 모여들었습니다. 장례는 코로나19의 정점이라는 특성 때문에 외부 손님은 맞이하지 않고, 조용하게 가족장으로 치르기로 했습니다. 저도 첫날과 입관식에만 참석하고 장지까지는 따라가지 못했습니다.

아무에게도 말하지 못했지만, 그 당시 저의 마음 상태는 최악을 달리고 있었습니다. 극도로 예민했고, 불안하고, 두려워했고, 금방이라도 터져버릴 것 같은 상황이었습니다. 보통의 경우라면 정신과 상담을 받거나 입원을 했어야 했지만, 그래도 저는 꽤 연기를 잘했던 것 같습니다. 나름대로 차분하게 장례식장에서 제가 할 수 있는 일을 했고, 어른들도 각자 간직한 응어리를 푸는 것보다는 절차대로 할머니를 잘 보내드렸습니다.

그런데 그렇게 장례를 마무리하고 돌아오는 일요일에 일이 터졌습니다. 우리 집은 저 혼자 교회에 다닙니다. 그래서 일요일 아침이면 저는 교회에 갈 준비를 합니다. 물론 어머니도 교회에 다니시지만, 코로나19의 영향으로 당분간 출석을 못 하시게 되었고 저는 워낙에 작은 교회에 다니다 보니, 거리두기가 거의 종료되어가는 지금 시점까지도 무난하게 예배를 드리고 있습니다.

그렇게 교회에 가기 위해 준비하는데 아침부터 부모님의 언성이 높아지기 시작했습니다. 사실은 별일 아닙니다. 제가 어린 시절부터 가정에는 크게 책임감이 없었던 아버지와, 그것에 대해 항상 마음의 응어리가 있는 어머니 간의 작은 다툼입니다. 저로서는 그저 무심코 넘겨도 될 일입니다. 어떤 가정에서든 일어날 수 있는 일이니까요. 그리고 그런 덕분에 저희는 오히려 나름대로 전략적인 제휴 관계의 가족관계를 맺고 있다고 생각할 정도였으니 말입니다. 그런데 예상치 못하게 제 어린 시절 무의식 속에 묻어두었던 감정들이 한 번에 터져 나왔습니다. 말 그대로 땅을 치고, 뒹굴면서 발작했습니다. 그리고 쌓아두었던 눈물이 터져 나왔습니다. 그림이 그려지시나요? 마흔 살이 넘은 아들이 초등학교에도 들어가지 않은 아이처럼 땅을 뒹굴면서 울부짖는 모습이요. 그것도 지금까지 살아오면서 초등학교 이후 제 기억이 존재하는 범위 내에서는 적어도 그런 적이 없었는데 말입니다.

아버지는 당황하셨고 어머니는 더 우시면서, 드러누우셨습니다.
평화롭게 흘러갈 수 있었던 일요일 아침은 그렇게 난장판이 되어버렸습니다. 잠시 시간이 흐르고, 그 와중에도 저는 교회에 가기 위해 다시 준비하고 집을 나섰습니다. 오후에 집에 돌아오자 또 한 번 집안은 어지럽혀져 있었습니다. 이번에는 빨래방에 세탁하기 위해 집 앞에 잠시 내놓았던 빨랫감들을 누가 훔쳐 갔다고 합니다. 어쩌면, 그 빨래 도둑 덕분에 우리 가족은 주의를 환기시킬 수 있었는지도 모릅니다. 그 이후로 그날의 사건에 대해서 서로 대화하고 있지는 않습니다.

아버지와는 20년을 넘게 따로 살았습니다.

전략적 제휴 관계의 가족이 된 것도 아주 최근의 일입니다. 어머니 가게 일을 도와주시기 위해 함께 하게 된 것이니, 아마도 제가 계속 회사생활을 하고 있었다면 이렇게 평소에 장시간 얼굴을 맞댈 기회 조차 없었을지 모릅니다.

저는 저에 대해서 모르고 40년을 넘게 살아왔습니다.

무의식 속에 풀어지지 못하고 억눌러 놓았던 것들이 이렇게나 많은지 몰랐습니다. 그저 남들보다 조금 예민하고, 신경이 과민하고, 까칠하다고만 생각했습니다. 그것도 사회적으로는 정확하고, 성실하고, 공의롭다는 포장을 안고 살았으니 말입니다.

저의 전작 『마음성형』은 그런 의미에서 저를 살린 책입니다.

그리고 지금의 안식년과 등산을 통해 얻은 위안은 말로 표현할 수 없을 정도의 새로운 풍성함과 기쁨을 안겨주고 있습니다. 또 이제는 매주 온라인으로 수업받는 상담심리학과의 강의를 통해서도 저를 이해하고 치유하는 계기를 만들고 있습니다.

어쩌면 살기 위해 읽기 시작한 책들이 저를 여기까지 인도했는지도 모릅니다.

나의 마음이 자신을 들여다보고, 돌아보라고 저를 안식년으로 이끌어 왔습니다. 그리고 이 책을 포함한 수많은 글쓰기를 통해서 다친 마음을 더 회복하고 있습니다.

더 내려놓고, 더 실전으로 마음을 성형해가고 있습니다.

크리스마스 선물

저는 어린 시절부터 산타클로스를 믿지 않았습니다.

특정한 계기가 있었던 것은 아니고 충격을 받은 것도 아닙니다. 그저 처음부터 산타클로스라는 것을 믿지 않았습니다. 오히려 미국에 가면 슈퍼맨이 있다는 것을 잠시 믿었던 적은 있었습니다. 참 여러모로 특이한 아이였습니다. 당시에는 교회도 다니지 않았고, 산타클로스도 믿지 않았기 때문에 선물을 받을 방법은 산타클로스를 믿는 척하는 것이었습니다. 수많은 어린 시절의 크리스마스가 있었겠지만, 최근까지도 저를 괴롭혔던 장면 하나를 꺼내 들어 봅니다. 그 크리스마스 이후 한동안 무언가를 기대하는 감정이 제게서 완전히 사라졌습니다.

아마도 초등학교 3학년쯤이었을 겁니다.

저희 집은 천호동이었고 부모님은 중곡동에서 작은 통닭 가게를 운영하고 계셨습니다. 집에는 할머니가 계셨기에 부모님은 가게 뒤편 작은 방에서 주무시기도 하고, 가끔은 집을 오가며 지내셨습니다. 크리스마스 시즌이니 아마도 겨울방학이었을 것입니다. 저는 당연히 산타가 없다고 생각했기 때문에 선물 받을 전략을 잘 짜야 했습니다.

지금은 천호동의 이마트가 있는 자리에 당시에는 신세계 백화점이 있었던 것으로 기억합니다. 아무튼, 저는 혼자 백화점에 들어가서 이것저것 구경하면서 다녔습니다. 그러다가 크리스마스 선물용으로 전시된 RC카를 보았습니다. 무선 조종장치로 움직이는 장난감 차 말입니다. 가격표를 보니 28,000원입니다. 당시에 28,000원이라는 돈이 적은 돈은 아니었지만, 어린 나이에 크리스마스 선물로 적당한 금액이라는 생각이 들었습니다. 무엇보다도 그 RC카가 너무나 갖고 싶었습니다. 흥분된 마음을 안고 부모님이 운영하시는 가게에 가기 위해 버스를 탔습니다. 그리고 자세히 기억나지는 않지만, 어머니에게 열심히 RC카에 대해 설명했던 것 같습니다. 특히나 가격이 28,000원이라는 것을 강조했습니다. 지금 생각해보면 참 능글맞은 어린이입니다. 부모님이 백화점까지 가서 그것을 사 오실 시간이 안될 것 같으니, 그 돈이 있으면 제가 가서 사 오겠다고까지

했던 것 같습니다.

그날 밤 저는 가게에서 부모님과 함께 잠자리에 들었습니다. 물론, 머리맡에 양말을 걸어두는 것도 잊지 않았습니다. 그리고 혹시라도 산타님에게 정보 전달이 안 될 수도 있으니 양말 속에 [28]이라고 적은 편지 비슷한 쪽지도 넣어두었습니다.

다음 날 아침. 크리스마스입니다.

저는 일어나자마자 양말을 열어보았고, 큰 충격에 빠졌습니다. 그 충격에서 온전히 벗어난 것이 아주 최근입니다. 정확하게 표현하자면 『마음성형』을 쓰고, 나 자신과 아버지에 대해서 더 이해하게 되면서 수용하게 된 것입니다. 양말 속에는 [2,800원]이 들어 있었습니다. 그리고 쪽지에 답장이 있었습니다. 답장의 내용은 기억이 나지 않습니다. 대신 추신이 기억납니다. [추신: 양말 좀 빨아 신어라 이놈아] 그 2,800원을 어디에 썼는지 전혀 기억나지 않습니다. 그리고 저는 그 이후로 다시는 양말 따위를 크리스마스에 걸어두지 않았습니다. 그리고 역시나 단 한 번도 RC카를 사본 적도 없습니다. 지금은 언제든 마음만 먹으면 몇 대라도 살 수 있을 텐데 말이지요.

아버지도, 어머니도 아마 기억하지 못하실 것입니다.

그리고 이제는 이해합니다. 누군가 잘못한 것도 아닙니다. 다만,

지금까지 그 사건으로 인해 제 안에 모든 기대감은 여지없이 크리스마스 아침의 양말 속처럼 무너졌습니다.

누구나 때로는 근거 없는 기대감을 가지곤 합니다.

말도 안 되게 그러한 근거 없는 기대감이 현실로 이루어질 때도 있습니다. 아무런 편견도 없고, 억눌러 놓은 감정도 없을 때 말입니다. 때때로 저도 경험해봅니다. 첫사랑과의 영화 같았던 만남, 생각해보지 못했던 깜짝 선물, 내 노력 이상의 성과 같은 것들 말입니다.

반면에 성공의 직전에서 무너져내리고, 이해할 수 없는 사건들로 실패를 맛본 적도 많았습니다. 그러던 중 아주 최근에 의식의 기억 속에서도 희미해져 갔던 RC카가 떠올랐습니다.

동묘에 가면, 길 건너편에 동대문 문구-완구 거리가 있습니다.

최근 그곳에서 RC카를 세일해서 판매하는 것을 발견했습니다. 그 거리에서는 전부터 흔하게 판매되고 있었을 그곳을 수백 번도 더 지나갔을 텐데, 최근에서야 제 눈에 띄게 된 것입니다. 그것은 아주 오래전 잊고 지냈던 크리스마스의 악몽을 떠올리게 했습니다. 이전에는 그 악몽을 단순히 원망 거리로만 삼았지만, 안식년을 맞아 부모님과 처음으로 오랜 시간을 보내면서 원망스러운 마음이 사랑과 이해로 바뀌었습니다. 이것은 특정한 계기가 있다기보다, 안식년을 통해 저의 시야가 넓어지면서 자연스럽게 변화한 모습인 듯합니다.

 그래서 저는 이제 다시 새로운 기대감을 갖곤 합니다.

 이 기대감이 전혀 근거가 없는 기대감이라고 할지라도 이루어지게 될 것이라 믿습니다. 부모님이 혹시라도 이 책을 읽으셔도 자책하지 않으시길 바라는 마음입니다. 우리는 가족이면서도 서로에 대해 너무 몰랐습니다. 그리고 그것은 비단 우리 가족만의 문제는 아닌 듯합니다.

 이 안식년이 없었다면, 저는 어떻게 되었을까요?

과자 선물 세트

이번에는 조금 다른 버전의 어린 시절 이야기입니다.

지금은 동네마다 편의점이 참 많습니다.

그리고 수입 과자 상점도 많고, 마트도 곳곳에 있습니다. 또한 온라인 쇼핑몰도 다양해져서 여러모로 경쟁이 참 치열한 시대입니다. 저의 어린 시절에는 그저 동네마다 단골 슈퍼가 있었습니다. 요즘도 가끔 동네 슈퍼들을 보곤 하는데 정겹기는 하지만, 아무래도 잘 이용하지는 않게 됩니다. 아무튼, 그 당시에는 슈퍼가 쇼핑의 욕구를 해소할 수 있는 몇 안 되는 플랫폼 중의 하나였는데, 당시에도 특정한 시기에 나름의 기획상품들을 전시할 때가 있었습니다. 요즘 밸런타인데이나 화이트데이 시즌에 편의점 외부 매대에 상품을 진

열하는 것처럼 말입니다.

저의 시선을 끈 것은 과자 선물 세트였는데 롯데나 해태, 오리온 등 제과업체에서 자사의 과자들을 커다란 박스에 넣어서 선물상자 형태로 판매하는 것이었습니다. 요즘도 인터넷에서 추억의 과자 세트라고 검색해보면, 다양한 종류가 나옵니다. 제가 눈여겨본 것은 3,000원짜리 과자 선물 세트입니다. 안에 무엇이 들어있는지는 저도 잘 모릅니다. 다만, 상당히 크고 좋아 보입니다. 5,000원짜리도 있었던 것 같은데 당시 제 주머니 사정으로 제가 살 수 있는 과자는 3,000원짜리였습니다.

한동안 슈퍼 앞을 기웃거리며 고민했습니다.

한꺼번에 과자를 먹을 수는 없으니, 집에 가져가야 할 텐데 그러면 엄마에게 설명해야 하기 때문입니다. 그렇다고 마음이 넉넉해서 친구들에게 과자를 나누어줄 깜냥도 안되는 어린 시절의 저입니다. 한참을 고민한 끝에 3,000원 짜리 과자 선물 세트를 구매했습니다. 그리고 그 뒷일은 역시나 기억이 나지 않습니다. 드문드문 기억나는 부분은 엄마에게 꽤 많은 추궁과 질책을 들었던 장면입니다. 심지어 제 돈으로 산 것인데 말이지요. 그 이후에 이상한 습관이 생겼습니다. 무언가 필요한 것을 구매할 때면 어머니에게 은근슬쩍 정보를 흘려드리는 것입니다.

집을 계약하고, 차를 사고, 가전제품을 살 때 이제는 어머니와 상의를 먼저 합니다. 간섭이라고 생각하지 않습니다. 때론 반대에 부딪혀도 제게 꼭 필요한 것이라고 생각하면 살 때도 있습니다. 어린 시절부터 지금까지 이 모든 것이 상처투성이였는데 그것이 아물고 회복되니 경험이 되고, 훈장이 됩니다. 하지만 무조건 시간이 해결해주지는 않는 것 같습니다. 서로를 이해하려는 마음과 더불어 좋든, 싫든 가족이라는 울타리 안에서 각자의 입장을 바라볼 수 있는 시간을 함께하는 것이 필요합니다.

저의 멘토님은 이런 저에게 그것이 진짜 가족이 되어가는 과정이라고 말씀하십니다.

40년간 못했던 것을 1년 동안 해나가고 있습니다.

20년 만의 재회 – 팬데믹 초상집2

2022년 초, 코로나19가 여전히 기승을 부리는 와중에 큰고모부가 돌아가셨습니다. 그것도 코로나 때문에 친척들이 모이지 않기로 합의한 구정 명절에 말이지요.

저는 여러 가지 이유로 20년 전 할머니가 돌아가신 이후 친가 쪽 행사, 명절 등에는 전혀 참석하지 않았었습니다. 명절에는 아버지만 친척 모임에 참석하십니다. 처음에는 약간의 오해와 상처로 인해, 그 이후에는 각자 삶의 바쁜 시기를 거치면서 관계가 소원해졌습니다. 어린 시절 명절 때마다 반갑게 만났던 삼촌들과 숙모들, 사촌 형, 누나, 동생들과도 전혀 교류하지 않은 채 연락을 끊고 살아왔습니다. 학창 시절에는 그렇게 친하게 지냈던 형제들인데도 말입니다. 사촌 형제들의 결혼식에도 참석해본 일이 없습니다. 남처럼 살아왔습니다.

몇 년 전에 큰고모가 갑자기 돌아가셨다는 소식을 들었을 때는 꼭 갔어야 했는데, 회사 업무로 참석하지 못했었습니다. 다른 때는 몰라도 큰고모의 부고는 저에게도 충격이었습니다. 뇌출혈로 돌아가셨다고 들었는데 어린 시절, 큰고모와 각각 두 살 터울의 사촌 형과 사촌 동생은 저와 특히나 각별했던 사이었습니다. 그런데도 참석을 못 했으니 이제는 거의 친척 간의 관계를 포기한 셈입니다. 한편으로는 속 좁게도 아쉬운 마음도 들었습니다. 그 많은 사촌 중에서도 누구 하나 직접적으로 손을 내밀어준 사람이 없었다고 생각했습니다. 입장을 바꿔놓고 생각하면, 그들도 저처럼 삶에 치여 살았기 때문이겠지요. 저도 간혹 만나는 아버지를 통해서만 소식을 듣는 정도였으니까요.

이런 여러 배경 속에서 큰 고모부가 돌아가셨습니다.

이제 사촌 형과 사촌 동생은 엄마도, 아버지도 없이 형제 둘만이 남게 된 것이지요. 마침 저도 작년에 저의 오랜 소망인 출간을 끝냈고 회사 업무로 바쁘지도 않았습니다. 다만 약간의 용기가 필요했을 뿐입니다. 그래서 이번에는 제가 운전해서 아버지 어머니를 모시고 함께 가기로 했습니다.

장례식장은 부천 근처였습니다. 친가 쪽 가족들은 대부분 인천과 부천 쪽에 살고 있습니다. 부모님이 먼저 들어가시고, 저는 차에서 잠시 반려견을 돌보고 있다가 어머니와 교대하기로 했습니다. 30분 정도 기다린 이후에 혼자 장례식장으로 들어갔고, 작은고모가 가장 먼저 저를 맞아 주셨습니다. 20년 만의 인사였습니다. 그렇게 낯익은 몇몇 얼굴들을 뒤로하고 먼저 큰 고모부 영정에 꽃을 올리고, 향을 피우고 잠시 기도드렸습니다. 상주인 사촌 형과 사촌 동생은 20년 전과 크게 달라지지 않았습니다. 또 다른 사촌 형, 누나들, 동생들과 인사했고, 20년 전에 꼬마 아이였던 막내 사촌 동생들은 이미 저보다도 키가 커져서 알아보기 힘든 어른이 되어 있었습니다. 특히나 가장 막냇동생은 자신의 딸아이가 4살이라고 합니다. 우리는 그렇게 각자의 세상에서 나이를 먹었고, 어른이 되었습니다.

오랜 시간 머물지는 못하고 한 시간가량 사촌 형, 동생들과 오랜만에 만난 근황을 나누고 일어섰습니다. 사촌 형과 연락처를 교환했는데 아직 서로 연락한 적은 없습니다. 또 이렇게 몇 년이 그저 지나갈 수도 있겠지만 이번엔 제가 먼저 연락해보려 합니다.

그동안은 어린 시절의 상처, 삶을 살아가면서 채워가지 못했던 기대, 막연한 두려움으로 친척과의 만남을 피하면서 살아왔습니다. 그럼에도 따뜻하게 맞이해준 형제들과 친척들의 마음은 제게 온전히 전달되었습니다. 너무 오랫동안 잊고 살아왔던 따뜻함입니다. 오랜만에 아버지도 흡족해하셨습니다.

내 몸과 영혼이 지쳐 있음을 깨닫지 못한 채 텅 빈 마음으로 하루하루를 살아갔다면…. 그렇게 나 자신의 마음을 조금이라도 성형하지 못했더라면, 남들이 보기에는 이토록 별일 아닌 친척 간의 만남 또한 영원히 이루지 못했을 것입니다.

어떤 인간관계든 간섭하고, 집착하고, 통제하려고 하다 보면 문제가 발생할 수밖에 없습니다. 서로 비교를 일삼으며 관심이라는 미명 아래 크고 작은 상처들을 남깁니다. 때론 폭력적인 상황에 이르기까지 합니다. 그런 것이 싫어서 모든 것을 차단하고 살아왔습니다. 정확하게는 저의 마음 그릇이 작았다고 해야겠지요. 하지만, 그 누구도 상대의 마음 그릇이 작은 것까지 판단하고 정죄할 의무는 없습니다. 오직 자신만이 가능한 일 아닐까요?

이렇게 또 하나의 나를 발견하고, 마음을 성형하니 새로운 기대가 생깁니다.

다음에는 사촌 동생이 운영하는 가게에서 한번 모여야겠습니다.

나도, 당신도 어렸습니다

저의 아버지는 6남매 중에 첫째입니다.

아래로 3명의 남동생과 2명의 여동생이 있습니다. 그중에 큰 여동생인 큰고모가 돌아가셨고, 큰고모부도 돌아가신 것입니다. 최근에는 형제 중에서 막냇삼촌이 집안의 대소사를 대부분 도맡아 주관하고 계십니다.

어린 시절에는 명절에 모든 친척이 우리 집으로 모였습니다. 할머니를 아버지가 모시고 살았기 때문에 아버지의 모든 형제, 숙모들 그리고 각 집의 자녀들까지, 명절에는 늘 집이 복작복작했습니다. 사촌들이 모이면 대략 30명 정도의 인원이 되었습니다. 명절 전날에 속속들이 삼촌들이 도착하면 남자 어른들은 술상에 모이고, 며

느리들인 숙모들은 할머니의 진두지휘에 따라 음식을 장만했습니다. 저를 포함한 아이들은 각자 모여 놀기 바빴던, 옛날이니 가능했던 모습입니다. 그 당시에는 그런 역할 분담이 당연했던 시기입니다.

그렇게 정신없이 명절 전날이 지나가고, 그리 넓지 않은 우리 집에 모인 모든 식구가 각자 흩어져 잠을 청합니다. 다음 날 아침에 차례상을 차리고, 차례가 끝나면 다 함께 성묘를 하러 갑니다. 성묘가 끝나면 준비했던 음식으로 점심을 먹거나, 때론 근처 식당에서 식사를 하고 각자 흩어지는 패턴입니다.

이것이 미취학 아동 시절부터 우리 집이 IMF로 도산하던, 그러니까 제가 고등학생이었던 시절까지의 명절 모습입니다.

고등학교 3학년, IMF가 왔을 무렵 할머니는 치매성 뇌졸중, 이른바 중풍에 걸리셔서 쓰러지셨습니다. 집안 경제가 어려워지니 가장 먼저 집의 크기가 작아졌습니다. 친척들이 와서 잠을 자기는커녕, 할머니를 모시기도 힘들어졌습니다. 그때 아버지 형제들 간에 어떤 논의가 오갔는지 어린 저는 알 수 없었지만, 아무튼 할머니는 막냇삼촌댁 근처 병원에서 입원과 퇴원을 반복하시게 되었고 결국, 막냇삼촌댁으로 가시게 되었습니다.

당시의 저는 삼촌들, 사촌들과도 사이가 원만하다 못해 가족 이상의 관계라고 생각했기에 서울에서 멀리 떨어진 삼촌들 집도 종종 놀러 가곤 했습니다.

그러던 어느 날, 당시 아르바이트를 하고 있었는데 쉬는 날을 맞아 막냇삼촌 댁에 계신 할머니를 찾아뵈러 갔습니다. 저의 집은 서울 송파구였고, 막냇삼촌댁은 당시 인천 연수구 어딘가의 아파트 단지였습니다. 상당히 먼 거리입니다. 그래도 오랜만에 알바비를 벌어 할머니를 뵈러 가는 마음은 참 좋았습니다. 삼촌 댁에 도착하니 동생들은 아직 학교에서 오지 않았고, 삼촌과 숙모도 계시지 않았습니다. 할머니 혼자 계셨던 것으로 기억합니다. 저는 알바비로 후라이드 치킨 한 마리와 스모크 치킨을 한 마리 주문했습니다. 아직도 기억나는 것은 저희 할머니가 스모크 치킨을 그렇게 좋아하셨다는 겁니다. 정말 맛있게 잘 드셔서 어린 나이에도 스스로 참 뿌듯하고, 자랑스러웠던 기억이 있습니다.

어느덧 막내 숙모가 퇴근하셔서 집에 들어오셨습니다.
기억이 흐릿하긴 하지만, 막내 숙모는 설거지하시며 평소와는 다른 분위기로 말씀하셨습니다. 일종의 넋두리이자 원망 섞인 한탄이었습니다. 요약하면 이러한 내용입니다.

"예전에는 단칸방에 살아도 부모님을 모셨었다. 그런데 왜 큰아주버님이 할머니를 모시지 않고, 우리가 할머니를 모셔야 하니?"

당시를 회상해보면 그 뒤 제 행동이 너무나 후회됩니다.
분명 막내 숙모도 순간적인 불만으로, 혹은 외부에서 받은 스트레스로 인해 넋두리를 하셨을 테니 말입니다. 흐릿한 기억이지만, 당신도 그 말을 하고 미안한 마음이 드셨는지 저를 달래려고 하셨었던 것 같습니다.

그런데 저는 그 모든 기회를 박탈하고 삼촌 댁에서 나왔습니다.
달려 나오면서 얼마나 울었는지 모르겠습니다. 할머니가 스모크 치킨을 드시던 모습과 숙모의 뒷모습, 과거 친척들의 모습, 제가 장손으로서 받던 대우와 완전히 상반된 그날의 기억이 오랫동안 저를 괴롭혔습니다. 그리고 저는 그 이후로 여러 핑계로 친척들 모임에 참석하지 않았습니다. 이후 설날에 혼자 둘째 삼촌 댁에 가곤 했습니다. 그 후 어린 시절 마음속으로 정말 좋아했던 둘째 숙모님이 돌아가셨던 장례식과 2년 후쯤 할머니의 장례식이 제가 참석했던 가족 행사의 전부입니다.

최근까지도 그 기억은 저를 괴롭혔고, 저를 힘들게 했습니다.
무엇보다 막내 숙모를 미워했던 기억이 가장 힘들었습니다.

얼마 전 막내 숙모가 유방암에 걸리셨다는 소식을 들었습니다. 지난번 큰 고모부 장례식장에서 사촌 동생들에게 들은 소식으로는 회복 경과가 좋다고 합니다. 회복하고 계시다니 다행입니다. 아마도 숙모는 그 당시 일을 기억하지 못하실 확률이 높습니다. 어쨌든 저는 오랫동안 숙모를 미워했습니다. 친척들도 미웠고, 이렇게 오랫동안 경제적 자립을 하지 못하고 신세 한탄만 하시는 아버지도 미웠고, 모두가 다 미웠습니다.

그런데 그때 숙모의 나이를 대략 추산해보니, 지금의 제 나이보다도 훨씬 더 어립니다. 저도 어렸지만 숙모도 어렸습니다. 우리는 어른과 아이라는 모호한 경계로 나뉜 선 위에 있었습니다. 결국은 모두 미성숙한 어린아이들이었습니다.

제가 당시에 넉살 좋게 숙모를 웃게 해 드리고 위로해드렸었다면 얼마나 좋았을까요? 이제는 당신이 미운 것이 아니라, 당신에게 너무나 미안합니다. 또한 무엇보다 나 자신에게 가장 미안합니다. 너무 오랫동안 스스로에게 벌을 주었습니다. 숙모님이 건강하게 완쾌하셔서 함께 웃을 날을 꿈꿔봅니다.

나를 위해 용서하고, 이해합니다

　삶에서 참 많은 사람을 만났고, 여러 모양의 관계들을 형성해왔습니다. 가장 먼저 가족들과의 관계를 형성하고, 친구, 친척, 직장동료, 지인, 선후배까지. 원하든, 원하지 않든 우리는 다양한 사람들과 얽히면서 삶을 이어갑니다.

　저는 오랫동안 최소한의 인간관계만을 유지하면서 살아왔습니다. 친구들도 극소수였습니다. 한때는 기본적인 사람의 구실도 못 한다고 스스로를 자책했지만, 그러면서도 많은 관계를 단절시켜 왔습니다. 그럼에도 저는 그 최소한의 관계마저도 힘들어했습니다. 저를 그렇게 만든 계기와 사람들을 곱씹으며 때론 증오하고, 미워했습니다. 저에게 사기를 치고도 당당했던 선배, 자신의 이익만을 위해 저를 활용하려고 했던 사람, 자신에 대한 사랑도 이해하지 못한 채 저를 인도하려 했던 미숙한 사랑 전도자, 때론 일방적으로 저를 차단하면서 사라진 사람들….

그 모든 이들이 결국은 내 마음을 비추는 거울의 배역이었다는 것을 이해한 것은 많은 시간이 흐른 최근의 일입니다. 그리고 그것들을 전작 『마음성형』에 이론적 배경들로 정리했습니다.

그것을 깨달아가고, 이해해가서일까요? 아직도 미숙하긴 하지만 최근에는 주위에 좋은 사람들이 생겨나고 있음을 느끼고 있습니다. 이미 좋은 사람들이 있었는데, 이제야 알아본 것일 확률이 더 높겠지만요.

부모님, 그리고 삶의 가장 힘든 시기에 자신의 삶으로 모범을 보여주신 멘토님. 저와 여러모로 다르지만 닮은 마음의 상처들을 간직한 형님이자 이사님. 어린 시절 삼촌들처럼 든든하게 여러모로 후원해주시고, 도와주시는 목사님. 어떻게든 저에게 좋은 것을 주고 싶어 하시는 전 직장의 동료이자, 사회의 선배 되시는 과장님들. 간간이 연락해주는 동생 되는 팀장, 그리고 자주 못 만나지만 언제나 나를 지지해주는 친구들.

모든 분이 기꺼이 저의 마음성형을 이루는 마중물이 되어주셨습니다. 그분들 덕분에 사랑을 깨닫고, 사람을 다시 생각해보고, 관계를 재정립해보고 있습니다.

이제는 저 또한 누군가에게 그런 사람이 되어주어야 할 사명감을 느낍니다. 누군가의 마중물이 되어주고, 든든하게 후원해주고, 지지해주는 그런 사람 말입니다.

이제는 과거의 미움과 증오의 대상들에게도 진심 어린 용서와 이해, 사랑의 마음을 전합니다. 그 사람과 저를 위해서요.

새 가족을 맞이하다

안식년을 맞아 등산이라는 취미가 생겼습니다.

본격적으로 산을 타기 시작한 것은 그리 오래되지 않은 일입니다. 이전에는 워낙에 돌아다니면서 책 읽는 것을 좋아하다 보니, 꼭 등산이 아니더라도 근처 낮은 산에 올라 책을 읽기도 했습니다.

작년 초여름의 일입니다.

가방에 책 한 권을 넣고 무작정 걷다 보니 집 근처 용마산으로 발길이 향하고 있었습니다. 그리 높지 않은 용마산을 별 목적의식 없이 오르기 시작했는데, 산 중턱에서부터 비가 내리기 시작했습니다. 보슬비처럼 내리던 비는 어느새 세찬 소나기로 바뀌었고, 덕분에 온몸과 가방, 책까지 몽땅 젖어버리고 말았습니다. 산 중턱에 있었으니, 비를 피할만한 마땅한 곳을 찾지 못했던 것입니다. 그렇게 책도 젖고, 가방도 젖고, 간신히 가방 깊숙한 곳에 넣어 두었던 휴대 전화만 피해를 최소화할 수 있었습니다. 집에 와서 샤워하고 비에 젖은 소지품들을 말리고 있었습니다.

그리고 그날. 우리 집의 새 가족을 처음 만나게 되었습니다.

제 어머니는 집 근처에서 애견 미용실을 하십니다. 신기하게도 어머니는 애견 미용실을 하시기 전에는 강아지를 무서워하는 편이셨습니다. 그러다 보니 저희 집은 지금껏 강아지를 키울 생각을 해본적이 없었지요. 그나마 저는 강아지를 좋아하지만, 어린 시절에는 선택권이 없었고 나이가 들어서도 전혀 생각해보지 못했던 부분입니다. 그런 어머니가 애견 미용실을 오픈하셨고 조금씩 애견 호텔도 운영하시기 시작했습니다. 또한 퇴근 후에 호텔에 맡겨진 강아지들을 집으로 데려오셔서 돌보시곤 했습니다. 그러다 보니 종종저희 집에는 두, 세 마리의 강아지가 있곤 했습니다.

강아지 중 귀엽지 않은 친구는 없습니다.

그럼에도 그 세찬 비를 쫄딱 맞은 날 왔던 강아지는 유난히 특이했습니다. 맞습니다. 첫인상은 귀엽다기보다는 특이했습니다. 포메라니안 종인데 주인이 털을 잘못 깎아서 등 후반부에서 엉덩이 부분 털이 듬성듬성했습니다. 반면에 얼굴은 동그랗게 털이 풍성해서

파마를 한 아주머니의 얼굴을 연상하게 했습니다.

 이름이 호두라고 합니다.

 그런데 저는 "명자 씨"라고 불렀습니다. 이유는 없습니다. 그저 그런 이름이 떠올랐습니다. 명자 씨는 이틀 정도 호텔에 맡겨졌는데, 저를 유독 잘 따랐습니다. 저 역시 명자 씨를 귀여워했습니다. 그런데 문제가 생겼습니다. 이 아이의 주인은 이미 단모 치와와 두 마리와 호두까지 세 마리를 함께 키우는 분이었습니다. 주인은 집을 종종 비워야 하는데, 주인이 외출하면 호두가 짖기 시작하고 덩달아 나머지 두 마리까지 짖어 문제가 되었던 모양입니다. 결국 주변에서 민원이 들어오니 호두를 저희 집에 맡기기 시작한 것입니다. 주인은 이 동네로 이사 온 지 얼마 되지 않은 분이었습니다. 그렇게 한 두 달 듬성듬성 호두가 호텔에 맡겨지는 일이 잦아지고, 결국에는 호두 주인이 이 아이를 다른 집으로 보내고 싶어 하는 의사를 밝혔습니다.

 저희도 처음에는 호두를 키울 수 있는 다른 주인들을 생각해봤습니다. 저희 집의 특성상 다른 강아지들 출입이 잦고 당시에는 저희가 직접 강아지를 키운다는 생각은 전혀 해보지 못했기 때문입니다.

그렇게 시간은 흐르고 짧게 여름휴가를 다녀오는 길에 어머니께서 호두를 며칠만이라도 데리고 오자고 하셨습니다. 그렇게 호두를 데려오게 되었고, 결국은 반려동물 등록 절차를 통해 우리 가족이 되었습니다. 또한 아무리 전 주인이 다른 곳으로 보내고 싶다고 했어도 그냥 데려오는 것은 도리가 아닌 듯해서 호두 몸값으로 일정 금액을 드리기도 했습니다. 그렇게 호두는 어머니의 성을 따서 [강호두]가 되었습니다.

 최근 반려견을 키우는 인구가 늘어나면서 그에 따른 반려견과 관련된 산업도 상상을 초월할 정도로 커졌습니다. 그럼에도 우리 가족이 반려견을 키운다는 것은 전혀 생각해보지 못한 문제였습니다. 무엇보다 우리 가족은 [책임감]의 영역을 극도로 부담스러워하기 때문입니다.

 그런데 이제는 호두 없는 우리 가정은 상상할 수 없게 되었습니다. 무엇보다 저희 어머니가 이렇게 호두를 사랑하실지는 아들인 저로서도 전혀 예상치 못했습니다. 매주 소고기, 닭고기 등을 삶아서 호두 밥을 만들고, 유산균을 챙겨 먹이고, 최근에는 강아지 우유까지 구매하십니다. 옷도 계절별로, 스타일별로 챙겨 입히고, 매일 함께 먹고, 자고, 24시간을 함께 합니다.

무엇보다 약간은 어색하고, 삭막할 수 있었던 전략적 제휴의 성향이 강했던 우리 집이 날마다 웃게 되었습니다.

멘토님은 제가 호두 소식을 간간이 전해드리면 [견생역전]이라고 표현하십니다. 이전에는 키우기 힘들어서 골칫덩이였던 [명자 씨]가 모두의 사랑을 받는 [강호두]로 탈바꿈했으니 말입니다.

저도 호두 덕분에 행복합니다.
호두 덕분에 사랑과 웃음이 넘치는 가족을 배워가고 있습니다.

책임감이라 쓰고, 사랑이라고 읽습니다

혼자 사는 가구가 참 많아졌습니다.

예전부터 저는 종종 혼자 밥을 먹곤 했습니다. 지금과 달리 예전엔 혼자 밥을 먹으면 약간 이상한 눈초리를 받았습니다. 혼자 영화를 봤다고 하면 더 이상한 취급을 당했고요. 딱 한 번 혼자 노래방에 간 적이 있었는데 당시 노래방 사장님이 이상하게 쳐다봤을 정도로 혼자 무언가를 한다는 게 낯설었던 시절이 있었습니다. 그런데 이제는 시대가 완전히 바뀌었습니다. 혼밥은 일상이 되었고, 혼영, 혼행 등 혼자 할 수 있는 일들이 많아졌습니다. 혼자 사는 것도 전혀 이상하지 않은 일이 되었습니다.

여전히 저는 혼자 하는 일들이 꽤 있습니다.

대부분 등산은 혼자 갑니다. 종종 혼자 여행도 가고, 혼자 밥을 먹거나, 커피를 마시는 것은 제겐 그저 일상적인 일입니다. 때론 누군가와 함께하는 일도 있지만, 최근에는 코로나19의 영향으로 혼자 하는 일이 더 많아진 듯합니다.

실은, 코로나 이전에도 모든 것을 혼자 하는 것이 편했습니다.

혼자 밥을 먹으면 상대방과 메뉴를 조율하지 않아도 되고, 더치페이의 개념이 흐릿해져 누군가의 마음을 상하게 할 일도 없기 때문입니다. 그렇기에 굳이 연애를 하는 것이 아니라면 혼자 무언가를 하는 것이 가장 편합니다. 그리고 점차 이것은 대세가 되었습니다. 저와 같은 사람들에게는 환영할만한 일입니다.

그런데 때론 이것의 부작용이 따르기도 합니다.

모든 것을 혼자 하려면 예전에는 약간의 용기와 타인의 시선을 차단하는 대담함이 있어야 했다면, 이제는 그런 것이 필요 없습니다. 여기까지는 좋습니다. 문제는 함께할 때 부담이 증가한다는 것입니다. 혼자 하는 일들이 익숙해지고 편해질수록 누군가와 함께하는 일들이 어려워집니다. 그리고 그것은 크건 작건 [책임감]이라는 단어로 대표됩니다.

모든 종류의 책임감을 지고 싶지 않아집니다.

내 삶도 책임지기 힘들다는 인식이 생깁니다. 어느 날, 나 자신을 들여다보니 그렇습니다. 그러니 업무 외 인간관계에 있어서는 모든 것을 끊고 싶어집니다. 혹은 개인적인 관계의 사람들을 만나도 업무적으로 대하는 것이 편해집니다. 그나마 일에 있어서 만큼은 책임감이 있어서 다행이었습니다. 한편으론 그 책임감의 무게가 과중해서 다른 책임감은 지고 싶지 않았나 하는 생각이 들기도 합니다.

그러나 이제 많이 극복했습니다.

나 자신도, 과거의 기억 속 사람들도, 현재 관계를 맺고 있는 사람들도, 가족도, 친구도, 친인척, 심지어 길거리에서 만나는 모든 사람에게까지도 이전과는 다른 시선을 보내려고 노력합니다. 그렇습니다. 노력합니다. 아직 완성형은 아닙니다.

여전히 누군가와 함께할 때 화를 내기도 하고, 짜증을 내기도 합니다. 민감한 반응을 보이기도 하고, 까칠해지기도 하고, 분통이 터질 때도 있습니다.

책임이라는 부담에서는 멀어지고 싶은 것이 사실입니다.

하지만 이제는 읽는 법이 달라졌습니다.

느끼는 법도 조금은 달라지려고 합니다.

책임은 사랑이라고 읽고,

부담은 기대감으로 느껴봅니다.

아직도 노력 중이지만 이 과정 자체가 즐겁기도 합니다.

이 또한 저의 인생이니까요.

정겨운 잔소리

전략적인 제휴 관계라고 명명한 우리 가족이 모이면 다양한 대화가 오가지만, 때론 무시무시한 잔소리들이 오고 갈 때도 있습니다. 그렇습니다. 서로에게 잔소리를 많이 합니다. 새로 가족이 된 호두만 말이 없습니다.

다른 가정들도 비슷하리라 생각하면서 살고 있습니다. 이것은 이렇게 해야 하고, 저것은 저렇게 해야 하고, 얼굴에 뭐가 묻었고, 바지 밑단이 신발에 끼었고, 호두가 마실 물은 새로 갈아줬는지, 가게 간판 불은 켜고 퇴근했는지, 마스크는 잘 착용하고 다니는지, 대략 이런 말들입니다.

다만 저희 부모님은 저에게 이런 잔소리는 하지 않으십니다.

만나는 사람은 있는지? 결혼은 언제 할 것인지? 언제까지 책을 쓸 것인지? 다시 취업하는 것이 좋지 않을지? 와 같은 말이요. 그동안 수많은 시간과 경험을 통해 부모님에게 인정받은 부분이 있기 때문이기도 합니다. 그럼에도 제가 걱정되시겠지만, 믿어주시는 편입니다.

그러니 정말 사소한 잔소리 외에는 다른 간섭이나 통제를 하시지 않습니다. 예전에는 부모님을 모시고 운전할 때면, 정신이 하나도 없었습니다. 덕분에 이제는 완벽하게 잔소리를 차단할 수 있을 정도로 운전을 할 수 있게 되었습니다.

예전보다 상대적으로 부모님과 얼굴을 맞대는 시간이 늘어나니 부부간에 잔소리하시는 모습을 자주 보게 됩니다. 물론, 주로 어머니가 아버지에게 잔소리를 많이 하시지요. 아버지는 어머니의 잔소리를 은근히 즐기시는 듯하기도 합니다. 기분 나쁠법한 잔소리도 잘 받아들이십니다. 다만, 잔소리를 들으신 이후에도 크게 달라지는 것이 없는 것으로 미루어볼 때, 계속 잔소리를 듣고 싶어 하시는 듯하기도 합니다.

저는 잔소리 듣는 것을 극도로 싫어하는 성격이라 지적받은 것에 대한 것은 무조건 고치는 편입니다. 그런데도 잔소리를 들을 때가 있습니다. 그래서 잔소리가 싫습니다. 그런데, 어느 날 보니 그렇게 싫어하는 잔소리를 제가 하고 있었습니다. 과거 회사에서 저의 잔소리로 인해 진절머리 난 직원들이 있지 않았을까 회상해 봅니다. 싫어하면서 배우고, 그렇게 꼰대가 되는 것이지요. 욕하면서 닮아 간다고 하던가요.

어느 날 TV를 보다가 한 개그우먼이 자신의 어머니에 대한 에피소드를 들려주는 것을 본 적이 있습니다. 남편에게 [화]가 많은 어머니의 캐릭터를 따라 하는 것인데, 참 재미있게 보면서도 느끼는 점이 많았습니다. 같은 상황, 같은 사람, 같은 것을 보고, 듣고, 느껴도 저렇게 유쾌하게 해석하는 모습이 부럽기도 하고, 많이 배우고 싶다는 생각이 들기도 했습니다.

그래서 저도 가족 혹은 사람들 간의 잔소리를 정겹게 바라보기로 했습니다. 상대방을 바꾸기는 힘들어도, 받아들이는 나 자신을 바꿀 수는 있으니까요. 무엇보다 상대를 인정하다 보면 나도 잔소리를 하지 않게 되는 것 같습니다. 아직은 정겨울 정도까지는 아니지만, 변화와 인정의 희망은 보입니다. 언젠가는 이 잔소리들도 그리울 날이 분명 오겠지요.

지금 저는 현재의 모든 것을 누리기 위해 노력하고 있습니다.

새 가족을 기대합니다

마지막 연애를 한 지 10년이 넘은 듯합니다.

그 사이사이에 짧은 만남들을 종종 이어갔으나, 연애라는 감정을 느끼기에는 참 많이 부족한 듯합니다. 모든 것을 혼자 하는 것이 편하고, 남자와 여자를 통틀어서 새로운 관계라는 것에 대한 부담과 책임 회피 성향이 강하다 보니, 연애하기에 완전 자격 미달인 셈이지요.

그러면서도 항상 연애를 갈구합니다. 말과 행동이 따로 작동합니다. 저는 제 나름대로 연애하지 못하는 이유에 대해 생각해본 적이 있습니다. 그중 가장 큰 이유는 저는 제가 필요할 때만 사람이 곁에 있었으면 하는 바람이 있기 때문입니다. 연애 상대로서 최악의 사고방식입니다.

그러고 보면, 직장 생활할 때는 무엇이든 업무가 우선이었습니다. 언젠가는 출근하려는 아침에 디스크가 터져서 몸이 완전히 기울었는데도, 우선 출근을 했던 적이 있습니다. 대표님이 병원에 먼저 다녀오라고 강하게 지시하셔서 병원에 갔고, 당일 저녁에 시술받고 주말에 입원했다가 바로 퇴원해서 출근했습니다. 이렇게 회사 위주로 살다 보니 몇 번의 소개팅을 받았음에도 새로운 프로젝트를 챙긴다는 핑계로, 또 시간이 날 때도 피곤하다는 핑계로 만남을 이어가지 못한 경우도 많았습니다. 이렇게 보니 저도 참 바보 같이 살았습니다. 이런 사람들이 오히려 회사 욕을 더 먹이는 경우가 많습니다. 회사가 문제가 아니라 제 사고방식이 문제였던 것인데요.

최근에는 나 자신의 마음성형을 통해 이전보다 변화된 제 모습을 체감하고 있습니다. 그래서 예전과는 다른 마음가짐으로 연애의 시작을 고민해보고 있습니다.

호두가 우리의 가족이 된 것처럼 말이지요.

아직 시간이 더 걸리겠지만, 급한 것도 없습니다. 그동안은 편협한 사고와 좁은 시야로 인해 연애관도 비틀어지고, 사람에 대한 기본적인 신뢰와 기대감도 없었는데 나 자신의 그러한 문제점들을 개

선한 것만으로도 엄청난 발전이라 생각합니다.

　그래서 한번 해보렵니다.

　새로운 가족을 맞이할 수 있는 연애 말입니다.

05

등산,
마음이 설렌다는 건
곧 살아있다는 겁니다

산으로 떠나는 여행

 예전 같았으면 주말에 누군가가 저에게 등산하러 가자고 하면 그리 환영하지 않았을 겁니다. 물론, 제 주변에는 그런 사람이 없지만요.

 학창 시절에 친구 부모님, 그리고 친구와 함께 등산하였던 기억이 있습니다. 중학생 때였는데 워낙 오래전이라 어느 산인지도 기억이 나지 않습니다. 다만, 올라갈 때는 성취감이나 좋았다는 느낌보단 그저 힘들었고 내려와서는 몸이 땀에 젖었다가 그대로 말라서 찝찝했던 기억만 남아 있습니다. 분명히 분위기는 좋았던 산행이었는데, 개인적으로는 유쾌했던 기억이 아닙니다. 이후에도 타의에 의해 산을 오른 적이 대부분입니다. 군대에서는 말할 것도 없고요. 얼마 전에 발견한 사진에서는 예전 직장에서 설악산의 울산바위 전망

대까지 올라갔던 것을 발견하고 꽤나 놀랐습니다. 지금은 너무 가고 싶은 곳인데, 당시에는 전혀 감흥이 없었으니 말입니다.

안식년을 맞아 시작한 등산은 마음성형과 함께 저의 인생관을 바꾸는 데 참 많은 도움을 주었습니다. 저의 진짜 첫 등산은 [수락산 정상 혼자 오르기]였습니다. 수락산은 제가 사는 곳에서 멀지 않다 보니, 다이어트를 위해서 친한 형님과 두어 번 올라 봤던 산입니다. 무엇보다 예전에는 수락산 아래쪽에 유원지와 음식점들이 많아서 좋아했던 기억이 있습니다. 그렇다고 산을 엄청나게 좋아하지는 않았습니다. 다만, 안식년을 맞아 쉬다 보니 나름 버킷리스트를 작성해 보았는데 그 리스트 중의 하나가 수락산에 혼자 올라 보는 것이었습니다. 지금은 어느 산이든 혼자 잘 다니지만, 당시에 산에 혼자 오른다는 것은 저에게는 하나의 도전이자, 쉽지 않은 일이었지요.

어찌 되었든, 그렇게 한번 수락산 정상까지 혼자 올라 보았습니다. 산에 오르면서 아마 100번도 넘게 포기할 생각을 했던 것 같습니다. 지금 생각해보면 참 웃기면서도 안타까운 기억입니다. 웃프다고 하지요. 그런데 재미있는 것은, 그렇게 한번 수락산에 가보니 다른 산도 혼자 가볼 수 있지 않을까? 하는 생각이 든 것입니다. 특히나 요즘은 유튜브를 보면 혼자 산에 오르는 분들을 많이 찾아볼 수 있습니다. 그렇다고 바로 본격적으로 산에 자주 가기 시작한 것은 아닙니다.

처음에는 한 달에 한 번, 그러다가 2주에 한 번, 근처의 새로운 산들을 하나씩 올라 보기 시작했습니다. 지금은 보통 일주일에 한 번 정도 오릅니다. 가장 많이 올랐을 땐 일주일에 3곳을 오른 적도 있습니다. 그렇게 등산의 매력에 완전히 빠져들었습니다. 최근 지리산에 다녀온 것을 제외하고는 저도 수도권 근처 위주로 다니는 초보이지만, 매번 산에 오를 때면 또 하나의 여행을 한다는 생각이 듭니다. 그것도 여러모로 행복한 여행입니다. 아주 가까운 곳에서, 가장 행복한 삶의 휴식과 취미를 찾았다는 것이 저에게는 가장 큰 수확입니다. 좋아진 체력과 조금씩 붙어가는 근육은 보너스인 셈이지요.

산은 단순히 높게 쌓인 흙더미와 바윗덩어리를 오르는 것 이상의 그 무엇이 있습니다. 저도 그 무엇이 정확하게 무엇인지는 모르겠습니다. 시간이 흐르면 각자 나름의 답을 구할 수도 있겠지만, 섣불리 답을 확정 짓지는 않으려 합니다.

답을 몰라도, 이 행복한 여행은 계속 즐길 수 있으니까요.

현존한다는 이해

세상에서 가장 오르기 힘든 산을 아십니까?

지금 내가 오르고 있는 산입니다.

어디선가 읽은 농담 같은 말인데, 진심으로 공감합니다.

어떤 산에서든 그랬습니다. 항상 지금 오르고 있는 산이 가장 힘들게 느껴집니다. 물론, 상대적으로 오르기 쉬운 산이 있고, 정말 체력적으로나 난이도의 측면에서 오르기 어려운 산들이 있습니다. 하지만 산에 오를 때면 언제나 같은 생각이 듭니다.

특히나 등산로의 초입, 그러니까 막 등산의 시작이 느껴지는 지점이 있습니다. 갑자기 시작되는 가파른 언덕길이나, 길게 이어지는 초반의 계단 길 등을 오를 때 느껴지는 감정들 입니다.

처음에는 그런 생각을 했습니다.

"왜? 항상? 오르막이지?"

이것이 인생의 여정들과 오버랩 됩니다. 지금까지 열심히 살아왔는데, 왜? 아직도 나는 등산로의 초입과 같이 힘들고, 왜? 또 새롭게 시작해야 하고, 왜? 아직도 밑에서 올라가야 하는 것인가? 이런 생각들이 밀려옵니다. 이때가 가장 현재를 자각하기 좋은 순간입니다. 저절로 자각되니 말이지요. 각자의 체력 차이는 있을지 몰라도, 산은 누구에게나 공평한 편입니다. 그 누구도 등산로 초입에서 [지금 당장] 정상에 오를 수는 없습니다. 그러니 두 발로 한발씩 내디뎌 가는 수밖에 없습니다.

그런데 막상 정상에 도착하면, 등산로 초입에서 했던 고생과 현재를 자각하던 순간들을 잊어버리곤 합니다. 그저 좋은 경치와 넓은 시야를 바라보며 좋다는 생각만 하고, 하산하는 경우가 종종 있습니다. 그리고 다시 다음번에 산에 오르면, 또다시 등산로의 초입에서 현재를 자각하기를 반복합니다.

그래서 어느 날부터는 초입의 자각을 정상에서도 잊지 않기로 다짐해봤습니다. 그럼에도 종종 정상에서는 현재를 자각하는 것을 잊어버리곤 하지만 이제는 훈련이 되어서 정상에서도 현재를 자각할 때도 많습니다. 그러니 이제는 등산의 초입에서도, 깔딱고개에서도, 정상에서도, 하산길에도, 수시로 현재를 자각할 수 있게 되었습니다.

이것의 좋은 점은 온전히 산을 즐기고, 누릴 수 있다는 것에 있습니다. 예전에는 등산의 목적이 오직 [정상]에 오르는 것이었습니다. 물론, 지금도 거의 매번 정상에 오르지만, 이제는 그것이 등산의 목적은 아닙니다. 저의 등산의 목적은 시작부터 하산까지의 모든 여정입니다.

이것이 인생에 오버랩 되니 또 삶이 풍성해집니다.
무언가를 이루기 위해, 무언가를 갖기 위해, 성취하기 위해 살아왔던 삶의 여정이 모두 현존이라는 자각을 통해 [지금, 이 순간]을 느끼고, 즐기고, 삶의 전체 여정을 누리는 삶으로 변화했습니다. 그러니 오히려 이루려 했던 것, 가지려 했던 것, 성취하려던 것들이 손쉬워집니다. 억지로 거슬러 올라가는 듯하던 인생의 여정이 오히려 순탄한 물길을 탄 듯 이어집니다.

등산에서의 현존을 통해, 인생 또한 행복한 여행이 되었습니다.

불수사도북

수도권 강북엔 대표적인 5개의 명산이 이어져 있습니다.

불암산-수락산-사패산-도봉산-북한산입니다. 남양주에서부터 의정부, 노원구, 도봉구, 강북구, 성북구, 은평구, 고양시까지 걸쳐진 5개의 산을 종주하는 대략 43~45km의 코스를 이른바 불수사도북이라고 합니다.

이것이 올해 저의 버킷리스트 중 하나이기도 합니다.

불암산에서 수락산, 사패산에서 도봉산, 그리고 북한산의 여러 코스는 종종 따로따로 다녀보았는데, 이것을 모두 이어서 가본 적은 없습니다. 보통 선수 기준으로, 10시간에서 12시간 정도가 걸린다고 합니다. 이외에도 종주 코스가 은근히 많습니다. 아마도 불수사도북을 끝낸 이후에 하나씩 도전해보는 즐거움이 있지 않을까요?

 이전에는 산이 이렇게 가까이 있음에도 전혀 생각해보지도 못했던 일들입니다. 산은 언제나 그 자리에 있었는데 제 생각과 행동만 변화한 것입니다. 그러니 새로운 세상이 열렸습니다. 이전에는 책 속에서만 새로운 세상을 찾았는데, 이제는 산에서도 새로운 세상을 찾을 수 있게 되었습니다. 그리고 그 가능성을 보여줬으니, 사람 속에서도 새로운 세상을 찾을 희망을 품게 됩니다.

 누군가는 이렇게 생각할지도 모릅니다.
 별것도 아닌 것 가지고 참 오버해서 생각한다.
 남들 다 하는 건데 유난이다.

 맞습니다. 저는 지금 별것도 아닌 것에서 오버하고 있는지도 모릅니다. 그런데 오버를 해보니 저에게는 특별한 것이 됩니다. 왜 지금까지 남들 다 하는 것을 안 하고 살았는지 더 유난을 떨고 싶을 정도입니다. 이전까지는 정체도 알지 못하는 그 누군가의 생각과 말에 휘둘려서 아무것도 하지 못하고 살아왔으니까요.

 지금 저의 정확한 현실은 이렇습니다.
 그 누구도 저에게 오버한다고, 유난이라고 하지 않습니다. 꾸준히 등산하러 다니니 오히려 사람들이 부러워하고 인정해줍니다. 누군가의 부러움과 인정을 받으려고 무언가를 하지는 않지만, 적어도 무언가 부끄러워서 아무것도 안 하는 것은 아니니, 모든 것이 자유롭고, 풍요롭고, 행복한 삶의 순간들입니다.

산에서는 자신의 체력에 맞는 속도가 있습니다.

느리다고 부끄럽지 않고, 빠르다고 치켜세우지 않습니다. 그런데 인생에서는 왜 그렇게 많이 비교하고 살아왔는지 모르겠습니다. 아무도 신경 쓰지 않는데 스스로 부끄러워했는지 모르겠습니다.

이제 나의 속도로, 나의 버킷리스트들을 실천해봅니다.

짜릿한 고통

산에 오르기 전, 근처 편의점이나 작은 카페에서 꼭 아메리카노를 한잔 마시고 올라가는 습관이 있습니다. 요즘은 웬만한 등산로 입구에도 편의점이 많이 있어서 참 편합니다.

커피를 한잔 마시면서, 그날 오를 산을 바라보곤 합니다. 산은 산 위에서 내려다보는 경치도 좋지만, 이렇게 아래에서 바라보는 것도 멋집니다. 그래서 그 시간을 마음껏 즐깁니다. 그 후 산에 오르기 시작합니다. 휴대전화에 등산 어플을 설치하면, 산행 거리, 시간 등을 자동으로 기록해주고, 알려줍니다. 간혹 산에서 길을 잃었을 때도 유용하게 사용할 수 있습니다.

등산을 시작하고 처음 20분은 대부분 힘듭니다. 산마다 다르지만, 초반엔 이제 나의 육체가 본격적으로 등산을 시작한다는 것을 깨닫는가 봅니다. 현재를 자각하는 현존의 시간이 옵니다. 이제는 처음 구간이니 그러려니 합니다. 이 또한 경험입니다.

그렇게 또 오르고, 오르다 보면 정말 힘든 구간이 나옵니다. 깔딱고개가 나오든, 끝없는 계단이 나오든, 무엇이든 나옵니다. 한발 한발을 옮기는 것이 고통스러울 정도의 구간이 나옵니다. 몸이 무겁고, 근육이 당겨옵니다. 고통의 구간입니다.

어느 날 이런 구간을 통과하던 중에 엄청난 마음의 평화와 기쁨이 샘솟는 경험을 했습니다. 이상하고 신기한 경험입니다. 물론 예전에 읽었던 코엘료의 소설에서 이와 비슷한 체험을 한 주인공의 스토리를 읽은 적은 있지만, 그것은 뭐랄까 약간 변태 성향의 호르몬 작용이라 생각했었습니다. 고대의 수행 중에도 자기 몸을 혹사해서 깨달음을 얻는 사람들이 여전히 있다고는 하는데, 아무튼 저는 그 정도까지의 경지는 아닌 듯합니다. 어찌 되었건 여기는 그저 누구나 오를 수 있는 평범한 대한민국의 산이니 말입니다.

산에 다니면 체력이 좋아진다고 하지요. 덕분인지, 최근에는 등산의 초창기에 느꼈던 고통과 그 이후의 폭발적인 기쁨을 느낀 지는 꽤 오래되었습니다. 그러다 보니 때론 더 힘든 코스들을 찾는지도 모릅니다. 그것은 어찌 보면 호르몬의 중독 현상일 수도 있고요.

하지만 이와는 별개로 저는 등산을 통해 고통의 의미와 힘든 상황에서 나 자신을 대하는 태도를 돌이켜 보게 되었습니다. 체력이 좋아졌다고 하지만, 여전히 산에 오르는 것은 힘든 일입니다. 오히려 극한의 고통까지 가지 못하면 특정한 호르몬의 분비까지의 기준점까지 못 미쳐서인지, 힘들어서 짜증만 날 때도 있습니다. 예전 같으면 그저 힘들어하고 짜증을 냈겠지만, 요즘엔 여기서 현존을 깨닫고 산에 온 이유를 생각해 봅니다. 저는 이 힘듦을 느끼려고 산에 왔습니다. 그렇게 생각하니 이 모든 과정이 즐거워집니다. 즐기고 있으니 굳이 호르몬의 영향이 아니더라도 웃을 수 있습니다.

역시나 산행의 과정을 통해 또 한 번 인생의 과정을 떠올려 봅니다. 오히려 체력이 좋아지니, 이제는 웬만한 산은 고통이랄 것이 전혀 없습니다. 그저 즐겁습니다.

제 삶도 점점 산행을 닮아가고 있나 봅니다.

버킷리스트

최근에 지리산에 다녀온 적이 있습니다.

지리산은 뭔가 그 이름 자체가 주는 무게감이 있습니다.

한라산도 있고 설악산도 있지만 그 산들은 맛보기 정도라도 등산해 본 경험이 있고, 무엇보다 저에게는 관광지의 느낌이 더 강했습니다. 물론 모두 명산입니다. 또 제대로 오를 기회를 탐색 중이기도 합니다. 아무튼, 지리산은 제게 유명하지만 선뜻 다가서기 힘든 느낌의 산이었습니다.

그러다가 무슨 생각이 든 것인지 갑자기 지리산에 가야겠다는 생각이 들었습니다. 나중에 체력과 경험을 더 쌓은 이후에 도전해야겠다고 생각했던 산이었는데 갑작스럽게 지리산에 가고 싶어졌습니다. 결국 저는 게스트하우스를 예약하고, 평소에 잘 사용하지도 않는 등산배낭에 짐을 꾸려놓고, 이틀의 일정을 모두 비워놓았습니다. 그리고 다음 날 오전, 진주로 향하는 버스에 몸을 싣고 떠났습니다. 자세한 지리산 탐방기는 블로그에 모두 올려두었으니, 기회가 되시는 분들은 찾아보셔도 좋을 듯합니다. 확실히 멀기는 멀더군요.

그럼에도 지리산은 제가 지금까지 생각했던 심리적 거리보다는 멀지는 않았습니다.

해마다 버킷리스트라는 것을 작성해 보곤 합니다.
어느 때부터인가 매년, 혹은 생각날 때마다 한 번씩 버킷리스트를 작성하는 것이 일종의 연례행사처럼 굳어졌습니다. 그런데 매년 버킷리스트 중 실제로 이루는 것이 없다 보니 점점 제 리스트들이 그저 한낱 꿈처럼 느껴집니다. 버킷리스트가 아닌, To-Do 리스트로 변질이 되기도 합니다. 인생이 무언가 [해야 하는] 것들로만 채워지는 겁니다. 그마저도 다 못하는 경우가 다반사입니다. SNS나 인터넷을 보면 사람들이 나의 버킷리스트를 대신 이루어지기로 작정한 듯 보이기도 합니다. 내가 가보고 싶었던 곳, 내가 경험해 보고 싶었던 것, 내가 배우고 싶었던 것, 내가 꿈꾸던 삶. 모두 쉽게 해내는 것 같습니다. 하지만 어찌 그렇겠습니까? 그들도 힘들지만 용기를 내고, 조금 더 움직여 보고, 조금 더 도전해 보는 것이 아닐까요?

예전에 한 목사님이 멋진 어구를 들려주신 적이 있습니다.

Just One More Step!!!

딱 한 걸음 나아가면 멀게만 느껴지던 버킷리스트도 차츰 이루어 나가게 될 것입니다. 저와 같이 소심했던 사람도 책을 출간하고, 산에 오르고, 새 가족을 맞이하고, 새로운 배움에 도전합니다.

이제 또 새로운 버킷리스트들을 하나씩 적어 봅니다.
다음은 또 어떤 산에 가게 될까요?

06

제대로 살고 싶다는 말

10년 여정의 시작

앞서 밝힌 것처럼, 올해 저는 사이버대학교의 신입생이 되었습니다. 이 책의 초고를 쓰고 있는 이번 주부터 첫 중간고사가 시작됩니다.

덕분에 상당히 바쁜 시간을 보내고 있습니다. 월요일부터 화요일까지는 집중적으로 수업을 들으면서 이 책의 원고 초안을 함께 작성하고 있습니다. 수요일부터 금요일까지는 원고에만 집중할 수 있으니, 그중의 하루 시간을 확보하여 등산을 다녀옵니다. 토요일에는 가급적 휴식을 취하려고 하지만, 현재는 원고 작성에 더 집중하고 있습니다. 일요일에는 오전에 교회에 다녀오고 오후가 되면 호두와 산책을 하면서 시간을 보내고 있습니다.

앞으로 여러 가지 일들이 있겠지만, 향후 10년간 위와 비슷한 패턴의 시간을 보낼 생각입니다. 작가로서의 삶. 학생으로서의 삶. 이것이 주축이 되어, 또 새로운 삶의 기회를 만들고 그를 통해 시야를 열어가 보려고 합니다.

이렇게 긴 호흡의 계획을 세워보는 것은 저도 처음입니다.
그동안엔 항상 크고 작은 고비들만 넘기면 되겠지…. 라면서 살아왔던 것 같습니다. 고등학교 시절에는 수능만 끝나면, 사회 초년생 시절에는 군대만 다녀오면, 군대를 제대하고 나서는 취업만 하게 되면, 승진만 하게 되면, 이번 프로젝트만 성공하면, 올해만 지나가면, 또 지금은 코로나19만 종식되면….

지금은 그런 것들과 관계없이 저만의 속도와 호흡으로 10년이라는 시간을 보내보려고 합니다.

마치 산에 오르는 것처럼 말이지요.

저와 같이 때론 소심하고, 때론 짜증도 잘 내고, 화가 나고, 억울하고, 무기력하고, 힘든 사람들이 분명 또 어디선가 방황하며 살고 있으리라 생각합니다.
제 글과 삶의 경험들이 그런 힘든 시기를 보내고 있는 또 다른 나 자신들에게 조금이나마 도움이 되었으면 좋겠습니다. 좁았던 시야를 열어주고, 삶의 희망을 안겨줄 수 있다면 그보다 더 좋은 일이 있을까요. 저의 영향력이 작다면 작은 대로 주변 사람들에게 희망과 기쁨을 줄 수 있다면 좋겠습니다. 가능하다면 제 이야기를 통해 부디 많은 이가 다시 삶의 용기와 희망을 발견하게 되기를 소망합니다. 10년이라는 시간 동안 저 또한 더 배우고, 두드리고, 담금질하여 멋진 정금으로 제련되려고 합니다. 역시나 스스로를 단련하는 사람들이 많아져서 서로가 서로에게 선한 영향력을 전해주기를 소망합니다.

사실, 이미 그런 분들이 많이 활동하고 계십니다. 때론, 자신의 유명세를 활용하기 위해서만 활동하는 사람들도 있겠지만 그럼에도 불구하고 대부분은 선한 목적과 영향력을 통해 많은 이에게 힘을 주고 있습니다.

저도, 당신도 그렇게 되었으면 좋겠습니다.
무엇보다 각자 자신이 바라는 대로 살았으면 좋겠습니다.

배워서 남 주는 삶

누군가에게 무엇인가를 준다는 것은 기쁜 일이지만, 쉽지 않은 일입니다. 저도 많은 의식적인 훈련을 통해 무언가 주는 것을 실천하려고 노력하지만, 여전히 받는 것이 기쁘고, 즐거운 것이 사실입니다.

제가 아는 사람 중 누군가에게 필요한 것을 가장 잘 주는 분은 바로 제 멘토님입니다. 이론적으로 무언가를 습득한다는 것도 쉽지 않은 일이지만, 역시나 가장 어려운 것은 배운 모든 것을 실천하며 살아내는 것이라고 생각합니다. 그런 면에서 저는 멘토님을 인정하고, 존경합니다.

저의 멘토님에게도 스승님이 계십니다. 굉장히 유명한 분이시니 따로 밝히지는 않겠습니다. 하지만 저는 저의 멘토님이 그 스승님보다 실천하는 삶을 살아가는 부분에서는 훨씬 더 뛰어나다고 생각합니다. 청출어람이라고 해야 하니 그 스승님도 기뻐하시리라 믿습니다. 저 또한 멘토님을 넘어서는 삶을 살아야 할 텐데, 아직 멀었습니다.

저의 멘토님과 그 스승님이 자주 하시는 말씀이 "배워서 남 주자"입니다. 이분들은 벌어서도 남을 주고, 배워서도 남을 줍니다. 그러다 보니 때론 불순한 목적을 가지고 이분들에게 접근하는 사람들도 있습니다. 사실, 굉장히 많습니다. 그렇다고 무분별하게 퍼주는 것은 아닙니다. 그러니 실망하고 발길을 돌리는 사람들도 많습니다. 아무튼, 참 많이 베푸시는 분들임에는 틀림이 없습니다. 특히 저의 멘토님은 말입니다.

그래서 저도 앞으로의 10년. 그리고 그 이후의 모든 삶의 여정에서 멘토님의 정신을 이어가 보려고 합니다. 예전에는 무언가 배워서 나 자신만 써먹으려고 했습니다. 독보적인 기술을 갖고 있으면, 몸값도 올라가고 아무래도 돋보이게 되니 말입니다. 그런데 그런 배움에는 참 많은 한계가 있습니다. 우선, 내가 먼저 배우지를 못합니다. 내가 먼저 습득되지를 않습니다.

그러니 이도 저도 안 됩니다.

그런데 배움의 시야를 넓히니, 무엇을 배우든 흡수가 잘 되는 것이 느껴집니다. 특히나 이번에 입학한 상담심리학과의 교과목들이 그렇습니다. 물론, 시험점수는 미지수입니다. 여전히 생소한 용어와 이론 창시자들의 이름은 헷갈립니다. 무엇보다 정보가 부족하니, 어떤 경향성으로 시험문제가 출제될지 예상되지 않습니다. 한번 경험해 보면 방향성이 잡히겠지요.

저의 글을, 저의 배움을, 저의 인생을 더 갈고 닦아서 나누려고 합니다. 지금도 누군가 제게서 필요한 것이 있다면 나누고 있습니다. 아무리 작은 재주라도 써먹을 곳은 있기 마련입니다.

무엇보다 나 자신과 당신을 소중히 여기는 것이 최고의 나눔이기도 하더군요.

유명하지 않아도 괜찮아

브랜드와 인지도라는 것은 언제든 유효한 마케팅의 도구입니다. 갑자기 뭔 마케팅의 얘기인가 싶으시겠지만, 글을 쓰고, 책을 출간하는 입장에서도 마케팅은 상당히 중요한 부분입니다. 그리고 더 깊게 생각해보면, 우리 삶의 모든 것이 마케팅이기도 합니다.

2018년 「풍선을 든 소녀」라는 작품이 경매장에서 104만 2천 파운드에 낙찰되자, 미리 장치된 분쇄기를 통해 그림이 분쇄되는 퍼포먼스로 유명해진 [뱅크시]의 경우도 마찬가지입니다. 정체를 알 수 없는 사람임에도 [뱅크시]의 그림은 항상 고가에 거래가 됩니다. 최근에는 영국의 한 주택의 담벼락에 몰래 그림을 그리고 갔는데, 해당 주택의 가격이 기존 4억에서 70억까지 상승했다고도 합니다.

이외에도 유명세와 결합된 실력은 높은 부가가치를 부여받습니다.

가끔은 오히려 실력보다 유명세가 더 높은 가치를 부여받기도 합니다. 논란의 소지가 있지만, 아무래도 사람들은 유명한 것을 더 선호하는 경향이 있는 것이 사실입니다.

그래서 한때는 저도 유명해지고 싶다고 생각했습니다.
유명해지면 SNS에 짧은 글을 써도 좋아요와 댓글이 폭발합니다. 유명하지 않은 작가의 SNS에 방문해주시는 분들은 가히 천사라고 할 수 있습니다.

물론, 유명한 분들도 유명해지기까지 수많은 노력과 힘든 시간이 있었을 것입니다. 그것은 분명 인정해주어야 합니다. 무엇보다 다양한 시도를 끊임없이 해야 하는데, 그것이 보통 힘든 일이 아닙니다. 그리고 사실 제대로 된 방법도 잘 모르겠습니다.

그래서 어느 날 문득 힘을 빼보기로 했습니다.
지금까지도 유명하지 않았지만 앞으로도 유명해지든, 유명해지지 않든 괜찮습니다. 유명한 사람들은 참 피곤한 삶을 감내해야 할 것입니다. 어디서든 사람들이 알아보고, 그렇기에 더 친절해져야 할 것이고, 자칫 흐트러지면 구설에 오르기도 좋습니다.

그럼에도 주목받는다는 것은 내심 기분 좋은 일입니다. 그러니 대중스타들은 그런 인기에 힘입어 산다고 하지요. 다만, 사람이 살아가는 현실은 또 다릅니다. 그러니 그 괴리감에 공황장애, 대인기피증, 우울감 등의 정신적 고통을 안고 살아가는 유명인들과 연예인도 많습니다.

다만, 제 글과 책은 유명해지길 바랍니다.

정말 많은 사람이 읽었으면 합니다. 책을 통해 휴식이 필요한 사람들은 휴식을 취하고, 몸과 마음의 치유가 필요한 사람은 전보다 더 건강해지고, 새로운 힘을 얻어 무언가에 도전할 수 있었으면 좋겠습니다. 또 다른 이들에게 자신이 받은 치유의 힘을 전해주면서요.

특별한 사람도 자신의 분야를 제외하고는 우리와 같은 보통의 사람들입니다. 그럼에도 우리는 특별함에만 열광합니다. 보통의 사람, 보통의 시간, 보통의 순간에서 특별함을 발견하는 순간이 최고의 순간 아닐까요?

우리가 유명해지든, 유명해지지 않든 연연하지는 맙시다.

저의 SNS 팔로워들은 천사분들입니다. 지인과 친구들이라고 무조건 팔로우 해주는 것도 아닙니다. 무명 작가의 SNS에는 심오한 글귀와 힐링 되는 글귀보다는 등산 사진, 호두 사진, 시장 사진 등이 정처 없이 올라옵니다.

그런데도 소통해주시는 천사분들이 많습니다.
그러니 우리 각자가 유명하지 않아도 힘냅시다.

Rich friends

군대를 제대한 지 벌써 17년이나 되었습니다.

군대에서 힘든 훈련 중에 잠시 의식을 놓을 때면, 이미 제대 시기가 한참 지난 이후를 상상하곤 했습니다. 지금은 군 시절이 잠시 눈한번 깜빡인 것처럼 느껴지는데 말이죠. 이미 제대하고도 이만큼이나 시간이 흘렀습니다. 어떨 땐 무서울 정도입니다.

그래도 17년이라는 시간의 기억은 고스란히 간직하고 있습니다. 즐겁고 행복했던 때도 있었고, 두렵고, 가슴이 찢어질 듯한 아픔도 있었던 시간입니다. 무엇보다 저와 함께해준 친구들이 있기에 더욱 값진 시간입니다.

군대를 제대하고 친구들을 자주 만나던 시기에 우리는 부자가 되자는 막연한 꿈을 나누곤 했습니다. 그래서 모임 이름도 [Rich friends]입니다. 친구 중 누군가 먼저 부자가 되면, 다른 친구들을 물심양면으로 도와주자는 취지였습니다.

한 친구는 저보다 두 살이 어리지만, 군대 훈련소에서부터 제대까지 함께 한 가장 친한 동기입니다. 또 한 명은 그 친구의 형이라서 저보다 두 살 형님입니다. 동기는 저와 친구이지만, 형님은 형님으로 우대합니다. 그리고 지금은 함께 하지 못하지만, 저와 함께 자취생활도 하고, 함께 일도 하면서 평생 마음에 묻어둔 친구가 있습니다.

아직도 우리는 자타가 인정할만한 부자는 아닙니다. 하지만 처음 모일 당시보다는 삶이 많이 윤택해졌습니다. 군대 동기인 제 친구는 결혼해서 두 아이의 아빠가 되었고, 형님은 오랫동안 물류 분야의 경험을 쌓으시더니 지금은 중견기업의 팀장이 되어 다음 사업을 준비하고 있습니다. 그리고 남은 친구는 먼저 먼 길을 떠났습니다. 물론, 저 또한 이렇게 잘 지내고 있습니다.

우리도 예전과는 많이 변했습니다.

그럼에도 서로가 소중한 이유는 그 누구도 우리를 거들떠보지도 않고 신경 쓰지 않았을 때, 서로가 서로를 챙겼기 때문입니다.

그런 적 있으신가요? 자신의 생일을 아무도 모르는 상황. 따로 사는 어머니가 전화로나마 "생일인데, 뭐 좀 먹었니?"라고 안부를 묻는 상황 말입니다. 우리 넷은 모두 그런 상황이었습니다. 당시에는 부모님도 당신들의 삶의 무게를 감당하기도 벅차다 보니, 20대의 장성한 아들을 굳이 챙길 필요까지는 없었겠지요. 그렇다고 20대의 장성한 아들도 그리 단단하지만은 않았지만요.

그래서 우리는 서로가 서로를 챙기기 시작했습니다. 이것은 아직도 유효합니다. 물론, 지금은 각자의 가족과 주변 동료들, 지인들도 많이 챙겨주는 통에 오히려 저희끼리 만나기도 힘든 시기이긴 합니다. 하지만 적어도 각자의 생일에는 그때처럼 만나서 밥을 먹고 선물을 줍니다. 처음과는 다르게 너무 상투적인 분위기가 된 듯해서 약간의 불만이 있긴 하지만, 사람의 마음 속성이라는 것이 어떤 때는 이렇게 얄팍합니다.

그리고 멀리 떠나간 친구의 생일과 기일도 매년 챙깁니다.
친구가 떠난 지도 벌써 10년이 되었습니다. 가끔은 자신들의 일정 때문에 떠난 친구의 기념일을 챙기지 못하는 친구도 있지만, 저는 앞으로도 계속 이 친구의 생일과 기일을 챙길 것입니다. 모두가 잊어버리면, 또다시 예전 우리 모습과 너무 닮아있을 테니까요. 무엇보다 내가 떠난 친구라면 나를 잊은 친구들에게 서운할 것 같습니다.

친구는 이유를 알 수 없는 불의의 사고로 세상을 떠났습니다.
이 친구의 이야기를 적어도 글로는 남기고 싶지 않았습니다. 그렇지만, 이제는 이렇게라도 기억해야 저뿐만이 아니라 다른 친구들도 기억할 것이기에 몇 자 적어 봅니다.

때론 그 친구가 아니라, 제가 떠났으면 어떤 상황이었을까? 하는 생각도 해 봅니다. 얼마나 많은 이가 나를 기억해 주었을까요? 살아있는데도 잊혀지고, 또 잊는 친구들이 많은데 말입니다.

많은 관계가 변하는 모습을 봤습니다.
우리는 서로 부자가 되고 싶다고 했지만, 어쩌면 부자가 되는 것보다도, 그 당시의 순수한 욕망과 열정이 더 그리운지도 모르겠습니다.

친구도, 연인도, 가족도, 그 어떤 인간관계에서도, 지금 내 앞의 사람들이 가장 소중한 사람들임을, 우리의 Rich friends를 통해 다시

금 깨달아 봅니다.

이제 역전되리라

[인생역전]이라는 사자성어를 떠올리면 로또가 생각납니다.

우리 목사님은 로또 같은 것은 사지도 말라고 하시지만, 저는 가끔 한 번씩 로또를 구매해보곤 합니다. 최근에는 목사님 말씀을 따르고자 더 안 사려고 노력하고 있지만, 워낙에 로또에 관한 유혹이 많습니다. 특히나 유독 로또 가게 간판이 크게 보이는 날이 있습니다. 그럴 땐 별생각 없이 구매하고, 또 실망하곤 합니다. 가장 큰 당첨금은 오만 원이었는데 아버지에게 선물로 드렸습니다.

그리고 보니 어느 사이엔가 로또라는 것이 나 자신에게 약간의 죄책감처럼 스며들어 올 때가 있습니다. 정당한 대가를 바라는 것이 아니라, 일확천금을 노리는 한탕주의를 바라는 것 같아서 말이지요. 재미의 경계를 넘어서는 순간, 로또는 희망에서 절망으로 탈바꿈합니다. 실제로 그런 뉴스를 본 적도 있습니다. 자신의 전 재산으로 로또를 구매한 후에 모두 낙첨되어서 삶을 스스로 마감했다는 그런 기사 말입니다. 아마 목사님도 그런 의미에서 로또 같은 것은 사지도 말라고 하셨던 것 같습니다. 그런데 저는 그 위에 로또 구매 자체에 죄책감을 얹어버린 것이지요. 유혹에 못 이겨서 구매하고, 그것으로 죄책감을 쌓고, 낙첨되어서 후회하면서요. 자주는 아니더라도 이런 패턴들이 있었습니다.

하지만 인생역전이 로또에만 있는 것은 아닙니다.
그러고 보면 모든 역전은 그간의 노력과 시간, 그리고 그로 인해 흘린 피와 땀의 대가인 듯하니까요.

매주 5,000원씩 20년간 로또를 구매한 사람의 당첨 확률이 높을까요? 생애 처음으로 로또를 구매해 본 사람의 당첨 확률이 높을까요? 그것은 모를 일입니다. 확률적으로 최대한 설명해보려고 해도, 그 결과가 맞으리라고는 장담할 수 없습니다. 그러니 불확실한 것에는 [재미]로 즐기는 것이 최선입니다. 5,000원에 한 주간 여러 가지 상상의 즐거움을 선사하는 것이 로또입니다. 딱 그 정도입니다.

저는 이제 로또 대신 책값에 인생역전을 투자하고 있습니다. 예전보다는 책값이 많이 비싸지긴 했지만, 기본 10%에, 온라인 카드 할인을 받으면 만 오천 원짜리 책도 만 원 초반에 구매할 수 있습니다. 그리고 최근에는 중고 서점의 책들도 상당히 깨끗하게 관리되어 저렴한 가격에 구매할 수 있고요.

저는 아직은 종이책을 선호합니다. 그러다 보니 매번 종이책을 구매합니다. 많이는 아니지만, 평균적으로 일주일에 2~3권 정도는 구매합니다. 물론 바로바로 읽지 못하는 책도 많지만, 일단 구매해둔 책은 언젠가는 읽습니다.

예전에도 책은 많이 샀었지요. 새로운 이야기는 아닙니다.
하지만 인생역전의 측면에서 보자면, 불확실한 로또보다 확실한 것에 투자하자는 개념입니다.

로또에 대해서도 죄책감을 느끼지 않기로 했습니다.
무엇인가 특정한 것에 죄책감을 느끼면 자신이 그것을 하지 않아도 타인을 판단하고 정죄하는 이상한 습성이 생기는 것 같습니다. 타인에게 피해를 주지 않는 선에서 행하는 모든 합법적인 행위들을 나 자신이 판단하고 정죄할 권리는 없는 것이지요. 다만 안타까울 때는 있습니다.

최근 인터넷상에서는 타인을 비판하고, 판단하고, 정죄하는, 뉴스와 영상이 인기를 끌고 있습니다. 클릭 수가 많아지고, 트래픽이 되면 그것이 돈이 되기 때문이겠지요. 자극적이고 내용보다 센 타이틀의 기사와 내면의 분노와 미움의 에너지를 증폭시키고 선동하는 영상들 말입니다.

그 모든 시끄러움에서 나 자신을 조금 더 자유롭게 놓아주었으면 좋겠습니다. 나 자신과 타인에게, 그리고 세상에게 조금 더 너그러워졌으면 좋겠습니다. 그러면 세상의 참 많은 것들이 달라 보일 겁니다.

이것이 진정 우리 삶을 역전 시키는 시작점이 아닐까요?

최고의 결과가 나온다면, 무엇을 할까?

요즘 이 질문을 종종 나 자신에게 던져보곤 합니다.

"최고의 결과가 보장된다면, 나는 무엇을 할 것인가?"

여러 가지를 생각해봅니다. 새로운 사업을 꿈꿔보기도 하고, 유튜브를 시작해볼까도 생각해보고, 영화 오디션을 볼까도 생각해봅니다. 최고의 결과가 보장되는 것이니, 무엇을 하든 제 마음 아니겠습니까?

결론적으로, 시간의 차이가 있겠지만 해보고 싶은 것들을 모두 해보려고 합니다. 그래서 이렇게 책도 쓰고 있고, 사이버대학에도 입학하고, 사업에 대한 감각도 놓치지 않으려 여러 책과 자료들을 찾아보고 있습니다. 배울 것이 있으면 배우면서 느리지만 하나씩 하나씩 해보고 있습니다.

저는 SNS 프로필에 스스로를 [사업가]로 규정해두었습니다.
출간하면 대부분 작가라는 호칭을 달게 되지만, 저는 언어의 아름다움을 표현하는 문학적인 작가라기보다는 사람들에게 기운을 북돋아 주는 동기부여 사업에 더 관심이 많기에 사업가가 더 잘 어울린다고 생각합니다.

여러 사업을 구상 중이기도 합니다.
정말 긴 호흡의 기간이 되겠지만, 지금의 나와 같이 힘들었던 사람들을 위한 사업 말입니다. 세상은 날로 풍요로워지고, 풍족해지는 것 같은데 상대적으로 사람들은 더 많이 아프고, 더 많이 힘들고, 더 많은 고통을 호소합니다. 이전과는 다른 양상의 새로운 정신적 고통들과 그로 인해 신체적으로 전이되는 질병이 늘어가고 있습니다.

그래서 이제는 저에게 최고의 결과가 나온다면, 현대인의 정신적 고통을 해소하는 사업에 뛰어들겠다는 다짐을 해봅니다. 꼭 최고의 결과가 아니더라도, 이 사업은 저의 소명이라고 생각합니다. 적어도 한 명의 삶이 나아지고, 바뀌고, 역전될 수 있다면 말입니다.

한 명이 바뀐다는 것은, 그의 온 우주가 바뀐다는 것이니까요.

당신은 최고의 결과가 보장된다면, 무엇을 하길 원하시나요?

그것을 위해 저처럼 잠깐 쉬게 되었다면, 혹은 휴식을 끝내고 다시 무언가를 시작하려 한다면, 제 이야기로 위로와 힘을 얻었으면 좋겠습니다.

여기까지 이 책을 읽어주셨다면, 충분히 저를 응원해주신 것입니다. 저도 당신을 응원하겠습니다.

처음은 도전이지만

북한산 비봉에 오르면 [진흥왕순수비]라는 멋진 비석이 있습니다. 산 위에 있다 보니 진품은 국립중앙박물관에 있고, 이곳에 있는 것은 동일하게 만들어 놓은 모조품입니다. 그럼에도 사람 키만 한 비석은 북한산의 절경과 어우러져 언제 가도 멋지고 사진을 찍기에도 좋은 장소입니다.

처음 비봉에 홀로 올랐을 때는, 아직 눈도 채 녹지 않은 겨울의 끝자락이었습니다. 불광역에서 시작해서 족두리봉, 향로봉을 지나 비봉, 사모바위, 승가봉, 문수봉까지 오르는 코스에 처음으로 도전해 본 날이었습니다. 이전에 북한산 우이역에서 백운대까지 한번 올라가 본 이후로 두 번째 도전하는 북한산이었는데 이날을 기점으로 북한산의 매력에 제대로 빠지기 시작했습니다.

비봉 아래에는 코뿔소 바위라는 사진찍기 좋은 포인트가 있습니다. 그곳에서 몇 장의 사진을 남기고, 비봉을 오르려고 하는데 등산객은 아무도 없고, 눈은 곳곳에 쌓여 있어서 도대체 어떻게 저 위를 올라가나? 하는 생각이 들었습니다. 비봉을 오르는 특정한 바위가 있습니다. 누가 봐도 많은 이가 지나간 발자국 모양의 홈이 파여 있어서, 그곳을 밟고 올라가면 됩니다. 그런데 저는 오르지 못했습니다. 다양한 각도로 여러 번 시도해보다가 한두 번 미끄러지기까지 하니 더 도전할 용기를 내지 못하고 다음 코스로 향했습니다. 앞에 오르는 사람이라도 있었더라면 따라 해봤을 텐데, 그곳은 평소에도 사람이 그리 많은 곳이 아니기에 앞서 오르는 사람이 있을 리 만무했습니다.

그렇게 비봉 위의 [진흥왕순수비]를 포기하고 다음 포인트들을 향하는데, 계속 비봉 위를 바라보게 되는 겁니다. 또 어느샌가 보니 어떤 등산객분들이 그 위에서 사진을 찍고 있더군요. 어찌나 부럽고 안타까웠는지 모르겠습니다.

그리고 아마 일주일 정도 지난 후였을 것입니다.
이번에는 북한산에서도 힘든 코스 중의 하나라는 의상봉 코스로 다시 북한산을 찾았습니다. 그리고 일부러 의상 능선에서 비봉능선 쪽으로 향했습니다. 지난번 코스와 반대 길로 문수봉에 올랐다가 내려와서, 승가봉과 사모바위를 지나 비봉으로 향했습니다. 코뿔소 바위는 지나치고, 지난번에 좌절한 [진흥왕순수비]로 향하는 바위 앞에 섰습니다. 다시 마음을 단단히 먹고 올라가기 시작했습니다. 다행히 눈은 모두 녹았습니다. 일정 부분까지 올라가는 것은 지난번과 같습니다. 그런데 역시나 지난번과 동일한 지점에서 몸이 움직이지 않았습니다. 손으로 잡을만한 홈도 없었습니다. 정말 두려움에 몸이 굳어 버렸습니다. 다시 내려가려고 했습니다. 그런데 두려움에 몸이 굳어버린 탓에 내려가는 것도 위험해 보였습니다.

[Just One More Step!]

그 순간 온 용기를 다해서 바위 앞쪽으로 기어 올라갔습니다. 그리고 잠시 주저앉아 뛰는 심장과 가쁜 호흡을 가다듬었습니다. 드디어 저는 처음으로 [진흥왕순수비]에 도착할 수 있었습니다. 아직도 그때의 감동은 진하게 제 마음속에 각인되어 있습니다.

그리고 얼마 전에는 기자봉 능선으로 북한산에 다녀왔습니다.
그쪽도 비봉과 멀지 않아, 또 한 번 비봉으로 향했습니다.

'한번 올라가 봤으니 괜찮지 않을까?'
'지난번에는 얼떨결에 올랐던 것 아닐까?'

이런저런 생각을 하면서 비봉으로 향합니다. 그동안 북한산 숨은
벽 능선, 지리산까지도 다녀왔는데도 확신은 없습니다.

그렇게 다시 비봉 앞에 도달했고, 바위 아래쪽에는 저처럼 혼자 오
신 등산객분이 사진을 찍고 계셨습니다. 저는 문제의 바위 앞에 다
시 섰고, 마침내 마치 계단을 걸어 올라가듯 한 번에 올라가는 저를
보게 되었습니다. 이번에는 진흥왕순수비 앞에 할아버지 한 분과
할머니 한 분이 사진을 찍고 계시더군요.

이 사건은 저에게 참 많은 교훈을 남겨주었습니다.
참고로 비봉은 올라가는 코스가 두 곳입니다. 한 곳은 암벽등반 장
비를 갖추어야 하는 곳이고, 제가 말씀드린 코스인 나머지 한 곳은
등산객들이 올라가는 코스입니다. 도봉산의 Y 계곡 같은 곳도 험합
니다. 그런데 그곳은 철제 난간이 튼튼하게 되어 있어서 저도 여러
번 왕복했었습니다. 그런데 비봉의 바위는 그런 난간이 없습니다.
그저 자연의 바위입니다. 그럼에도 젊은 여성분들도, 어르신들도,
누구나 그리 어렵지 않게 올라가는 코스입니다. 아마 비봉 코스를
아시는 분들이라면 저의 글을 읽고 뭐 그리 대단하게 적었는가 싶

으실지도 모르겠습니다. 특히나 파병 경험으로 헬기 레펠만도 수십 번 타봤던 젊은 남자가 말이지요.

그래서 더 크게 깨달았습니다.
모든 도전은 상대적이라는 것을 말입니다.

누군가에게는 쉬울 수도 있는 일이, 누군가에게는 극심하게 어려운 일이 될 수도 있습니다. 하지만 어려운 그 한번을 깨는 것은 온전히 자신의 몫입니다. 누군가 앞에서 끌어주는 사람이 있다면, 그보다 좋은 일은 없을 것입니다. 비봉에서도 리드자가 있었다면, 저도 두려움 없이 바로 올랐을지 모를 일이니까요.

제 주변에는 출간의 경험이 있는 사람이 한 명도 없습니다.
그러니 이 책을 내기 전까진 혼자 글도 쓰고, 혼자 출판사에 문을 두드려야 했으며, 혼자 마케팅도 해야 했습니다.

분명 혼자 가야 하는 길이 있습니다. 그리고 그것은 하나의 도전이기도 합니다. 그 도전이 누군가에게는 쉬운 일일지도 모르지만, 제겐 아직 가보지 못한 길이니 녹록지 않습니다. 중요한 건, 지금 이 순간에도 그런 도전은 저만 하고 있는 것이 아니라는 겁니다.

그 도전의 길에서, Just One More Step!
단지 한 걸음을 떼 볼 용기를 가져보려 합니다.

처음 도전은 꺾일 수도 있습니다.

하지만 또 도전해 봅니다. 처음은 도전이지만, 한 번의 성공은 경험이 되고 그 경험의 기억은 자신감이 됩니다.

그 도전과 경험과 기억, 그리고 그로부터 쌓은 자신감은 이후 당신과 나를 세상에서 대체 불가한 존재로 만들어 낼 것입니다.

그 시작은 바로 오늘부터입니다.

무엇보다 각자 자신이 바라는 대로 살았으면 좋겠습니다.

제대로 살고 싶다는 말

초판 1쇄 인쇄	2022년 12월 20일
초판 1쇄 발행	2023년 1월 5일

지은이	알렉스 신

펴낸이	이장우
편집	송세아 안소라
디자인	theambitious factory
마케팅	시절인연
제작	김소은
관리	김한다 한주연
인쇄	금비PNP

펴낸곳	도서출판 꿈공장플러스
출판등록	제 406-2017-000160호
주소	서울시 성북구 보국문로 16가길 43-20 꿈공장 1층

이메일	ceo@dreambooks.kr
홈페이지	www.dreambooks.kr
인스타그램	@dreambooks.ceo

전화번호	02-6012-2734
팩스	031-624-4527

ISBN	979-11-92134-33-8
정가	14,800원